La pub est morte.
Vive les RP !

Al et Laura Ries

La pub est morte. Vive les RP !

Traduit de l'américain par Emily Borgeaud

L'édition originale de cet ouvrage a été publiée aux États-Unis par Harper Collins Publishers Inc., sous le titre *The Fall of Advertising & The Rise of PR*.

ISBN 2-7440-6047-X

Sommaire

Préface

Al Ries est, avec son ami Jacques Trout, le créateur du marketing moderne.

Après quelques articles dans la presse marketing américaine, il invente le positionnement, à la fois la chose et le mot, en publiant en 1986 son célèbre ouvrage *Le Positionnement.*

En sous-titrant ainsi son ouvrage, Al Ries découvre le positionnement de marque et donne ainsi le départ du « branding », c'est-à-dire de la compréhension et de la gestion des marques modernes.

De quoi s'agit-il ?

De rappeler qu'une marque est un élément à la fois tangible et intangible, un véritable repère dans l'esprit du consommateur ou du client d'entreprise.

Le marketing, avant Al Ries, était celui de la segmentation à partir des produits ; le positionnement de marque, depuis ces travaux d'Al Ries, développe un nouveau concept, celui de la « part de cerveau humain » préemptée par une marque au détriment de ses concurrentes.

« Si vous n'êtes pas premier dans le cerveau de votre prospect, alors vous avez un vrai problème de positionnement. »

En annonçant avec cette force son point de vue, ce professeur américain, aujourd'hui mondialement connu, s'impose comme le père de la marque contemporaine, celle qui est exclusive au sens originel et littéral du terme ; celle qui exclut toutes les autres de son territoire, c'est-à-dire du cerveau de ses clients et prospects.

Les équipes marketing, souvent promptes à s'accommoder de demi-mesures, de « positionnements proches sans être similaires », de fausses différenciations, en prennent pour leur grade.

Car Al Ries ne manque pas de courage. Après les marketers, il s'adresse aujourd'hui aux managers d'entreprises et avec *La pub est morte. Vive les RP !*, aux publicitaires et aux gens de communication dont la puissance ne s'est pas affaiblie malgré le fameux effet de ciseaux (l'augmentation des dépenses publicitaires et la baisse de son efficacité partout dans le monde et dans tous les marchés).

La perspective historique

Al Ries et Laura Ries inscrivent clairement leur démarche dans une perspective qui explique l'évolution des choses et dans une certaine mesure, l'impasse dans laquelle se trouve le monde du management, du marketing et de la communication.

Dans les années 1950, la publicité est au service du marketing produit (*product era*). Toute communication publicitaire avait pour objet de dispenser l'information objective sur les qualités produit. Les segments étaient peu encombrés, les entreprises qui développaient de véritables informations les communiquaient et le monde économique progressait.

Dans les années 1960, les facteurs se multiplient, les produits aussi, les différences objectives commencent à disparaître. La saturation des cerveaux et la publicité inventent ce mot toujours magique d'image.

La publicité s'en donne à cœur joie.

La créativité, quelquefois gratuite par rapport aux attentes du consommateur, développe des territoires imaginaires. On invente même l'expression « image de marque », qui fait aujourd'hui tant de tort à la marque, car l'on confond encore trop souvent la marque avec sa seule image.

Au début des années 1980, Al Ries impose la nouvelle logique de positionnement de marque, une réponse à un monde de surconsommation où l'homme occidental contemporain reçoit plus de 600 messages de marques par jour, où il connaît 5 000 noms de marques en notoriété assistée. Mais également un univers mental où il est incapable de citer spontanément plus de trois noms de marques, lorsqu'il s'agit de « passer à l'action », c'est-à-dire faire des achats dans un segment de marché défini.

Les marques forment la grammaire et le vocabulaire de notre monde contemporain, le consommateur moyen connaît, quelquefois, plus de noms de marques que de mots de sa propre langue maternelle.

Ce que nous enseignent Al et Laura Ries

Depuis leur ouvrage *Les 20 lois du capital marque*, Al et Laura Ries ont appris au monde du marketing à faire porter ses efforts sur la cohérence.

Légitimité de l'action, du discours et cohérence dans le temps et surtout dans les extensions de marque, le fameux *brand stretching*, sont la base du discours de marque.

La marque est un capital mental qu'il faut savoir conserver intact pour préserver le capital financier.

Brand equity, c'est-à-dire la valorisation des produits de la marque, est la sœur jumelle de *brand identity*, c'est-à-dire la position de la marque dans l'esprit du client.

Les réussites de Starbucks, Rolex, Coca-Cola, FedEx, Chevrolet, Kodak ou BMW sont la conséquence directe de l'analyse de ces règles de grande cohérence concernant l'extension, le nommage, la qualité, la crédibilité, la singularité…

À la base de la crédibilité, les RP, autrement dit les relations publiques ou les relations presse. Or ces métiers sont, encore trop souvent, relégués au niveau de simples techniques, voire à celui de copinage et de petits fours sans réelle valeur ajoutée stratégique.

Dans leur conclusion les auteurs incitent fortement les gens des RP à prendre le pouvoir à leur tour, à apprendre à planifier, à budgéter et surtout à développer des idées cohérentes, qui, avant de séduire le public, doivent d'abord séduire son difficile ambassadeur : le journaliste.

Ce que ce livre est et ce qu'il n'est pas

Ce livre est un plaidoyer pour l'intelligence, l'honnêteté et pour la compréhension de nos contemporains.

Ce livre est aussi une dénonciation de la facilité et de l'apathie dans lesquelles sont tombées de nombreuses marques plus promptes à débloquer un budget publicitaire équivalent, voire supérieur, à ceux des concurrents, qu'à chercher des idées pertinentes.

Ce livre dénonce, à juste titre, la créativité gratuite qui au nom de la nouveauté, du jamais vu, fait fi de la cohérence et du territoire de marque.

Ce livre n'est pas une critique unilatérale de la publicité, même si certaines phrases pourraient le laisser envisager.

Il dénonce plutôt l'attitude de certains publicitaires arrogants et l'aveuglement des équipes marketing enthousiastes devant les distinctions publicitaires, alors même que la courbe des ventes s'effondre.

Mais surtout, Al et Laura Ries nous rappellent les deux étapes distinctes d'utilisation des RP et de la publicité : le lancement de marque pour les RP et le maintien de la notoriété de la marque pour la publicité.

L'intérêt de cet ouvrage est d'avoir une vision paradoxale de ces deux techniques.

Généralement en grande consommation, les entreprises utilisent la publicité pour annoncer une nouveauté et les RP pour entretenir la flamme.

Au nom de la crédibilité et de la légitimité de toute marque, les deux auteurs font une démonstration implacable qu'il faut faire l'inverse, assurer la crédibilité par les RP et entretenir ensuite la marque dans l'esprit des clients par un bruit publicitaire accentué.

Quelle révolution !

Cet ouvrage américain de Al et de Laura Ries donnera sans doute lieu à pas mal de commentaires au sein des agences de publicité du monde entier.

Les principales leçons pour le branding

Cet ouvrage d'Al et de Laura Ries est une véritable bouffée d'air frais pour l'expert des marques européen que je suis.

En Amérique, réputée comme le lieu de la nouveauté, de la publicité, des investissements marketing et publicitaires colossaux, un des plus grands experts marketing, professeur réputé, nous rappelle le sens du retour des fondamentaux.

Avant de parler des marques, on parlait des entreprises et l'on utilisait l'expression : « C'est une grande maison. » Cela voulait tout dire : de la crédibilité, de la cohérence, de la légitimité, le sens des bons produits et du service attendu.

Ces marques se sont développées d'elles-mêmes, elles n'avaient pas besoin de publicité et celle-ci ne venait à terme que pour conforter un succès bien engagé.

Les travaux que nous avons pu mener en Europe avec des linguistes et des mythologues ont montré qu'il n'y a qu'une seule façon de raconter une histoire pour que celle ci soit crédible et qu'elle soit mémorisée.

En fait depuis que l'homme existe et qu'il écoute des histoires, les auteurs utilisent les mêmes ficelles, la même structure narrative toujours aussi efficace, le schéma actanciel mis à jour par l'école structuraliste.

Avec leurs mots marketing, leurs exemples contemporains, Al et Laura Ries nous font percevoir cette réalité réconfortante : la pérennité de l'esprit humain, ce besoin incompressible de temps et de compréhension pour construire les fondamentaux d'une grande marque.

Nos grandes marques sont devenues, peut-être faute de mieux, notre mythologie contemporaine, elles ont su prendre dans l'esprit de l'homme moderne la place qu'avaient les divinités du monde antique.

C'est pourquoi, le « discours long » des RP, discours construit nécessitant de raconter clairement quelle mission la marque remplit, avec qui et grâce à qui elle peut réussir, contre qui elle se bat, est si important.

Le discours publicitaire est nécessairement plus concis. Il a pour première mission d'attirer l'attention, mais encore faut-il que la marque existe déjà dans l'esprit du client.

En inversant ainsi le rôle des deux techniques, nos auteurs nous rappellent que le cycle de vie de la marque n'a rien à voir avec le cycle de vie d'un produit et que la marque est un phénomène trans-générationnel. La première génération doit être celle de la rencontre, de la conviction de l'intérêt mutuel, c'est-à-dire des arguments et de la crédibilité.

À la seconde génération (réelle ou technologique) la publicité fait son œuvre de rappel et de développement de certitude acquise par la conviction dans un premier temps.

À la troisième génération, la légende peut s'installer et c'est gagné pour longtemps !

Merci Al et Laura Ries d'avoir su remettre la pendule des marques à l'heure.

Deux exemples européens

Deux exemples pour illustrer en Europe et en France la pertinence des thèses de nos auteurs américains.

Vous pouviez lire en mai 2000, dans le magazine de la communication *CB News*, sous la plume d'Isabelle Musnik : « Lyonnaise Câble devient Noos pour attaquer le marché de la convergence... Objectif avoué : devenir la première marque de la convergence en offrant un accès personnalisé et interactif à la TV, la radio et Internet. La campagne de communication a été construite en quatre temps... et s'appuie sur le principe du teasing. »

Trois ans plus tard, on pouvait lire sur le site Noos ce bel aveu d'échec commercial : « La Lyonnaise Câble avait surpris le monde de l'Internet avec le lancement de son nouveau nom Noos. Un lancement accompagné d'une campagne quelque peu opaque. « Volontairement le lancement du nom était un peu flou pour éveiller la curiosité », insiste Karl Bisseuil, directeur marketing de Noos.

Le budget publicitaire lors du lancement était le plus gros du secteur.

Ce fut un échec commercial maintes fois relaté dans la presse dans la rubrique « les flops de l'année » mais l'agence de publicité considère, cependant, que sa mission est une réussite puisque « 84 % des gens reconnaissent la marque et 63 % ont aimé la campagne... »

À l'inverse, observons le relancement européen spectaculaire, sans publicité, de Converse. Écoutons Jacques Royer, le père de cette réussite, lors du dernier Forum des marques Radio France/HIGH CO. institute, à Paris en janvier 2003 : « Pour l'histoire de Converse, cela commence par la création en 1908 par une société de caoutchouc de la célèbre All Star.

Or, pour cette marque très ancienne, la situation en 2000 était extrêmement mauvaise puisque la société aux États-Unis était en faillite.

L'intuition de relancer la marque est venue de voyages en Asie lorsque nous avons observé qu'à Hong Kong et à Tokyo, de nombreux Asiatiques commençaient à porter de nouveau cette chaussure qui était devenue “ringarde” à New York. Cette fois-ci, le schéma était inversé : le renouveau partait d'Asie, pouvait passer par l'Europe et finir son redéveloppement aux États-Unis.

Le carnet de commandes en 2001 était de 12 000 paires seulement pour l'Europe ; en 2003 nous avons déjà 370 000 paires en commande et espérons finir l'année avec un million de paires vendues.

Dans notre analyse, cette marque pouvait et devait s'adresser à deux générations au moins. C'est pourquoi, nous avons fourni de nombreuses paires d'une part à l'équipe des danseurs de la chanteuse Jennifer et d'autre part à Jane Birkin dont nous connaissions l'amour de la marque. Les journalistes et photographes ont ainsi permis le come-back de Converse.

Une troisième génération a rejoint la marque, celle des collèges, qui recherche des marques originales, authentiques, et des produits simples et vrais.

C'est ce qu'on nomme la tendance du “vintage”, le cru, le millésime, la chaussure originale de 1908 ; c'est une tendance lourde de notre société depuis une dizaine d'années.

Lorsque les “stars” comme Rosanna Arquette rentrent au Plazza Athénée avec un vêtement Gucci, un sac Prada et une paire de Converse, c'est très important pour notre marque qui rejoint ainsi les très grands.

Puis nous avons élargi la gamme à travers une multitude de produits et de tissus, en ayant aussi la volonté de créer le manque. On lançait des modèles avec des couleurs, des matières, des hauteurs toutes différentes, en petites séries de 1200 à 2000 paires seulement. La recherche de la “bonne couleur ou du bon modèle” a amplifié le bouche à oreille, le “buzz”. C'est ainsi que le succès s'est amplifié rapidement… »

L'échec commercial du lancement de Noos par un usage publicitaire massif et la réussite de Converse par l'unique usage des RP sont une démonstration complémentaire de l'universalité et de l'actualité des propos iconoclastes de cet ouvrage. Si les esprits ne sont, sans doute, pas encore tous mûrs pour accepter la thèse de la fin de la publicité dans les lancements de marques, les exemples accréditant cette thèse ne manquent ni de ce côté, ni de l'autre côté de l'Atlantique.

À l'issue de ces deux exemples opposés, laissons, pour conclure cette préface, la parole à Al et Laura Ries qui développent avec talent et conviction ce conseil managérial : « Les patrons d'entreprises commencent à peine à reconnaître le pouvoir des RP dans le développement des marques. Ils doivent faire plus. Ils doivent basculer leur mode de réflexion et d'action en passant du concept *advertising-oriented* au concept *PR-oriented.* »

GEORGES LEWI

CHARGÉ D'ENSEIGNEMENT AU CELSA (LA SORBONNE)
ET À HEC, DIRECTEUR DU HIGH CO. INSTITUTE.

À Conrad Ries Brown, notre fils et petit-fils,
né le lendemain du jour où nous avons achevé
le manuscrit de ce livre.

Introduction

Il y a trente ans, Al a coécrit pour le magazine *Advertising Age* une série d'articles intitulée « The Positioning Era Cometh » (L'ère du positionnement a sonné). C'est peu de dire que ces articles ont fait un tabac ! Du jour au lendemain ou presque, le *positionnement* devint la nouvelle coqueluche du monde de la publicité et du marketing.

Si nous écrivions les mêmes articles pour la même revue aujourd'hui, leur titre ne pourrait qu'être « L'heure des relations publiques a sonné ». Partout, en effet, le même constat s'impose : le marketing s'appuie de moins en moins sur la publicité et de plus en plus sur les relations publiques.

La publicité ne permet pas de lancer une nouvelle marque parce que la publicité n'a aucune crédibilité. Elle n'est rien d'autre que la voix complaisante et intéressée d'une entreprise en quête de chiffre d'affaires.

Seules les relations publiques – ou RP – permettent de lancer de nouvelles marques. Car ce que vous offrent les relations publiques, c'est le moyen de dire ce que vous avez à dire de manière indirecte, à travers des tiers, principalement les médias.

Le pouvoir des relations publiques réside dans leur crédibilité. Contrairement à la publicité. Les RP génèrent les perceptions positives qu'une campagne de publicité, sous réserve qu'elle soit correctement menée, pourra ensuite exploiter.

Lorsque nous conseillons nos clients, nous leur recommandons en général de commencer tout nouveau programme de marketing par les relations publiques et de n'avoir recours à la publicité que lorsque les objectifs assignés aux opérations de RP seront atteints. Pour les managers élevés au biberon du culte de la publicité, c'est une idée révolutionnaire. Pour les autres, ce n'est ni plus ni moins qu'une évolution naturelle de la pensée marketing.

La poursuite des RP par d'autres moyens

La publicité doit s'inscrire dans la continuité des RP, tant en termes de calendrier que de thèmes de communication. La publicité est la poursuite des relations publiques par d'autres moyens et ne devrait entrer en scène qu'une fois que le programme de RP a été mené à bien. En outre, le thème d'une campagne de publicité, pour que celle-ci soit efficace, doit répéter les perceptions créées dans l'esprit du prospect par les opérations de RP.

Et on ne se lance pas n'importe comment ou sur un coup de tête dans la phase publicitaire d'une campagne marketing. Une campagne de publicité ne vaut d'être initiée que pour une marque forte et par une société capable de faire face aux exigences qu'impose ce type de communication.

Les professionnels de la publicité relèguent souvent la fonction RP au rang de discipline secondaire, utile seulement en cas de crise ou éventuellement pour faire connaître la dernière campagne de publicité en date. C'est lourdement se tromper.

Pour la plupart des sociétés aujourd'hui, les RP sont bien trop importantes pour être reléguées au second plan derrière la publicité. Sous beaucoup d'aspects, les rôles sont inversés. Les RP mènent le bal et doivent être le fer de lance d'une campagne marketing. D'où le titre de notre livre *La Pub est morte. Vive les RP !*

La publicité est morte. Vive les RP !

Morte, la publicité, alors qu'elle est omniprésente ? Allons donc ! Et pourtant…

C'est comme la peinture. La peinture aussi est morte, alors même que cet art n'a jamais été aussi populaire qu'aujourd'hui.

Ce n'est pas la peinture en tant que telle qui est « morte », mais sa fonction de représentation de la réalité.

Les années qui ont suivi l'invention du daguerréotype par Louis-Jacques-Mandé Daguerre ont « sonné le glas de la peinture et l'avènement de la photographie ». De la même manière, la publicité s'est vidée de sa fonction d'outil de construction de la marque, pour ne plus subsister aujourd'hui qu'en tant que forme artistique.

Cela ne signifie pas que la publicité n'a pas de valeur. La valeur de l'art est dans l'œil de celui qui regarde. Cela signifie seulement que lorsqu'une discipline fonctionnelle se transforme en art, elle perd sa fonction et donc sa capacité à être évaluée de manière objective.

De la valeur d'une bougie

Comment évalue-t-on la valeur d'une bougie ? Le rayonnement de sa flamme – autrement dit, sa production de lumière – n'est pas un critère pertinent dans la mesure où la bougie ne sert plus à éclairer nos maisons. Elle a perdu cette fonction. Pour reprendre notre métaphore, les années qui ont suivi l'invention de l'ampoule à incandescence par Thomas Edison ont « sonné le glas de la bougie et l'avènement de l'ampoule électrique ».

Et pourtant… Chaque soir, aux quatre coins de l'Amérique, des millions de bougies jettent leur flamme vacillante. Pas de dîner romantique sans bougies sur la table. Et il faut parfois débourser jusqu'à 20 ou 30 dollars pour un objet de décoration devenu nettement plus cher qu'une ampoule. Contrairement à l'ampoule électrique, la valeur d'une chandelle n'est pas corrélée à sa production de lumière. Comme la cheminée et les navires à voile, la bougie a perdu sa fonction, pour devenir un objet d'art.

De la valeur d'une publicité

La publicité répond au même modèle. Les partisans de la publicité, n'en doutons pas, défendront avec passion leur travail au motif qu'il contribue à renforcer le capital de la marque, à construire la valeur de la marque, à créer un lien affectif avec les consommateurs ou encore à inspirer et motiver la force de vente.

Dans une certaine mesure, tout cela est vrai, mais il est impossible de l'évaluer de manière objective parce que la publicité est devenue un art. Elle a perdu sa fonction de communication.

La valeur de la publicité est dans l'œil du PDG, du DG ou du directeur du marketing. Quelle valeur attribueriez-vous au tableau à un million de dollars qui orne le mur de la salle du comité de direction ? Et posez-vous maintenant la question pour les campagnes de publicité de votre société. Vous verrez que c'est la même logique qui prévaut.

Notre opinion : la publicité ne vaut pas ce qu'elle coûte… à une exception près. Et l'exception est de taille. La publicité a une réelle valeur lorsqu'elle répond à un objectif fonctionnel. Mais quel est cet objectif ?

Le but de la publicité n'est pas de bâtir une marque forte mais de défendre la marque une fois que celle-ci a été construite par d'autres moyens, principalement les relations publiques ou les recommandations de tiers.

Ce serait une erreur que de sous-estimer cette fonction défensive. En général, les entreprises dépensent beaucoup trop d'argent en publicité pour essayer de bâtir leurs marques (argent qu'elles devraient consacrer aux RP) et pas assez pour les défendre ensuite sur leurs marchés.

Créer une marque et défendre une marque sont les deux fonctions principales d'une campagne marketing. Les RP créent la marque. La publicité défend la marque. Paradoxalement, les professionnels de la publicité consacrent tellement de temps et d'énergie au processus de construction de la marque qu'ils sont souvent émotionnellement incapables de livrer une guerre marketing défensive.

De la valeur de la créativité

Et la créativité, formule magique et sacro-sainte des milieux publicitaires depuis que le monde est monde ? La créativité, pour nous en tenir à la définition courante du mot, est la quête de la nouveauté et de la différence. Ce qui compte, c'est l'originalité.

Mais ce n'est pas à coups de nouveau et de différent que l'on défend une marque. Pour défendre une marque, vous avez tout au contraire besoin de « réaffirmer » ses valeurs centrales. Déployer une publicité qui « résonne » auprès du consommateur. Le consommateur doit se dire : « Oui, c'est ce que représente cette marque. »

La créativité est la dernière chose dont une marque a besoin lorsqu'elle existe dans l'esprit des consommateurs.

Ce sont les RP qui ont besoin de créativité. Qui ont besoin d'être innovantes et différentes. Originales. La meilleure façon d'installer une marque est de créer une nouvelle catégorie et créer une nouvelle catégorie exige une pensée créative de haut vol. Vous conviendrez que c'est là un concept sinon révolutionnaire, du moins en rupture avec la pensée dominante.

L'approche conventionnelle

La plupart des produits et des services sont commercialisés selon une stratégie en quatre phases :

1. La société développe un nouveau produit ou service.
2. La société conduit des études sur le nouveau produit ou service afin de s'assurer qu'il apporte au consommateur un bénéfice significatif.
3. La société engage une agence de publicité pour lancer son nouveau produit ou service avec une campagne de publicité « explosive ».
4. Avec le temps, la publicité établit le nouveau produit ou service comme une marque forte.

Les quatre étapes de ce processus font figure de table de la loi : Développement, Études, Publicité et Stratégie de marque. En théorie, il n'y a pas grand-chose à redire à ce processus… sinon son immuabilité.

Dans la pratique, en revanche, il y a un maillon faible. L'étape cruciale est d'installer la marque (et ce qu'elle représente) dans l'esprit des consommateurs. Bâtir une marque, c'est gagner la bataille de l'esprit.

Le maillon faible s'appelle… publicité.

La publicité n'a plus le pouvoir de faire entrer une marque dans l'esprit du public. Elle a perdu sa crédibilité auprès des consommateurs, qui la croient de moins en moins sur parole… quand ils ne rejettent pas purement et simplement ses messages.

L'approche Relations Publiques

Certains produits et services, c'est une évidence, réussissent à conquérir l'esprit des consommateurs et à devenir de grandes marques. Comment y parviennent-ils ?

En faisant parler d'eux.

Toutes les réussites marketing récentes renvoient à des succès de RP, pas à des succès publicitaires. Pour n'en citer que quelques-unes : Starbucks, The Body Shop, Amazon. com, Yahoo !, eBay, Palm, Google, Linux, PlayStation, Harry Potter, Botox, Red Bull, Microsoft, Intel et BlackBerry.

Et que constate-t-on quand on étudie l'histoire des grandes marques ? Que la plupart d'entre elles se sont imposées sans publicité, ou presque.

Anita Roddick a fait de The Body Shop une marque mondiale sans publicité. Au lieu de quoi, elle a voyagé à travers le monde à la recherche d'ingrédients pour ses cosmétiques naturels, une quête qui a fait abondamment parler d'elle et de son entreprise.

Jusqu'à récemment, Starbucks ne consacrait que très peu d'argent à la publicité. Au cours de ses dix premières années d'existence, la société a dépensé moins de 10 millions de dollars (en tout) en publicité aux États-Unis, un montant ridiculement faible pour une marque qui génère aujourd'hui un chiffre d'affaires annuel de 1,3 milliard de dollars.

Wal-Mart est devenu la plus grande enseigne de distribution du monde, forte d'un chiffre d'affaires annuel de l'ordre de 200 milliards de dollars, en faisant très peu de publicité. Sam's Club, une des filiales du groupe, affiche des ventes moyennes de 56 millions de dollars par magasin… sans publicité ou presque.

Dans le secteur pharmaceutique, le Viagra, le Prozac et le Vioxx sont devenus des marques mondiales… sans publicité ou presque.

Dans le secteur des jouets, Beanie Babies, Tickle Me Elmo et Pokémon sont devenues des marques de premier plan… sans publicité ou presque.

Dans le secteur des hautes technologies, Oracle, Cisco et SAP sont devenues des sociétés (et des marques) qui pèsent des milliards de dollars… sans publicité ou presque.

Ici et là, on commence à publier des études et des travaux de recherche qui mettent en lumière la supériorité des relations publiques sur la publicité pour lancer une marque. Une étude récente portant sur quatre-vingt-onze lancements de nouveaux produits montre ainsi que les produits qui réussissent ont davantage recours aux RP que les produits qui ont moins bien su conquérir les consommateurs. Commissionnée par le cabinet Schneider & Associates en collaboration avec le Centre de recherches sur la communication de l'université de Boston et Susan Fournier, maître de conférences en marketing à la Harvard Business School, cette étude est considérée comme la première du genre.

« Les relations publiques restent sous exploitées. Mais lorsque les entreprises y ont recours, leur rôle est considérable », peut-on lire dans l'étude.

De fait, en dépit de la performance des RP, l'opinion prévaut toujours dans les entreprises qu'elles ne font pas partie du marketing.

Quand marketing égale publicité

Pour de nombreux managers et dirigeants, marketing est synonyme de publicité – pas de RP. « Le marketing de masse a besoin de communication de masse qui a besoin de publicité de masse », ainsi va la recette traditionnelle. Lorsque quelqu'un parle de campagne marketing, la première question qui vient à l'esprit est : « Où allons-nous faire de la publicité et à combien s'élève notre budget publicitaire ? »

Si vous entrez dans une librairie comme Barnes & Noble ou la Fnac, vous trouverez les livres consacrés à la publicité au rayon « Marketing et publicité ». De fait, cette catégorie regorge de livres sur la publicité. Pas vraiment étonnant puisque la publicité est perçue comme la fonction principale du service marketing.

En revanche, vous risquez de chercher longtemps le rayon « Marketing et relations publiques ». Les livres sur les RP, quand il y en a, sont enterrés dans le rayon « Marketing et publicité » parmi tous ces livres sur la publicité.

Il en va de même dans les entreprises. La plupart consacrent toute leur énergie à la publicité, les RP étant considérées comme une discipline de second ordre… quand elle existe tout court.

Le marketing, c'est la publicité et tout le monde sait ce qu'est la publicité.

Publicité égale argent, beaucoup d'argent

Cela est particulièrement vrai lorsqu'une entreprise envisage de lancer une nouvelle marque sur le marché. Créera ou ne créera pas ? Ce qui emporte la décision, c'est bien souvent le coût publicitaire de lancement de la marque. Quand on sait que même une modeste campagne de publicité nationale pour un nouveau produit de grande consommation peut coûter aux États-Unis jusqu'à 50 millions de dollars, on comprend mieux que ce genre de décision ne se prenne pas à la légère.

« C'est une bonne idée, nous ont dit beaucoup de clients, mais nous n'avons pas les moyens financiers de lancer la marque. » Ils se laissent influencer par ce qu'ils lisent et entendent dans les médias.

- Pepsi-Cola dépense 100 millions de dollars pour lancer le Pepsi One.
- Andersen Consulting dépense 150 millions de dollars pour le lancement de son nouveau nom, Accenture.
- Bell Atlantic dépense 140 millions de dollars pour le lancement de son nouveau nom, Verizon.
- Bell South Mobility dépense 100 millions de dollars pour le lancement de son nouveau nom, Cingular.

Dans la société de surcommunication qui est la nôtre, le coût de lancement d'une nouvelle marque est perçu comme entrant dans la même catégorie que l'orthodontie – une option chère que l'on pourra on l'espère éviter en lui préférant finalement une extension de gamme. Il n'est pas étonnant, dès lors, que l'Amérique croule sous les extensions de gamme et manque cruellement de nouvelles marques.

À titre d'exemple, neuf nouveaux produits de supermarchés sur dix sont des extensions de gamme et non de nouvelles marques. Et la même chose est vraie dans les drugstores, les grands magasins et tous les types de commerces de détail.

Assimiler le lancement d'une nouvelle marque à la publicité est une grave erreur de marketing. Car il manque précisément à la publicité l'ingrédient marketing indispensable au décollage d'une nouvelle marque.

La publicité manque de crédibilité

Pourquoi, on se le demande, prêterait-on attention à un message publicitaire concernant une marque dont on n'a jamais entendu parler ? En quoi, on se le demande, ce message est-il crédible ?

Imaginez que quelqu'un vous téléphone et vous dise : « Vous ne me connaissez pas, vous ne connaissez pas mes produits, vous ne connaissez pas ma société mais je souhaiterais prendre rendez-vous pour essayer de vous vendre quelque chose. » Vous raccrochez immédiatement.

En revanche, si quelqu'un vous appelle et vous dit : « Vous êtes cliente chez Saks Fifth Avenue et nous organisons un cocktail pour le lancement d'une nouvelle collection de créateur », vous aurez peut-être envie d'y faire un saut. Saks Fifth Avenue a de la crédibilité dans votre esprit. C'est un nom que vous connaissez.

Les relations publiques génèrent les recommandations et les références qui créent la crédibilité du message publicitaire. Aussi longtemps qu'une marque ne sera pas associée dans votre esprit à certaines références, ses campagnes publicitaires ne vous toucheront pas.

Lancer une marque et établir sa notoriété exige de gérer correctement et les relations publiques et la publicité. Un bon conseil – qui est aussi une règle générale : ne vous lancez jamais dans la publicité avant que les principales options de relations publiques aient été exploitées.

D'abord les RP, ensuite la pub

La publicité ne construit pas les marques, les relations publiques si. La publicité peut seulement entretenir des marques qui ont été créées par les relations publiques.

La vérité, c'est que la publicité est bien incapable d'allumer un incendie. Tout ce qu'elle peut faire, c'est attiser un feu qui a déjà démarré. Pour créer quelque chose à partir de rien, rien ne vaut l'aval et la caution de tierces personnes. Et donc : c'est par les relations publiques que doit débuter toute nouvelle campagne marketing.

La guerre et le marketing, qui ne le sait, présentent de nombreuses similitudes. Les généraux militaires qui livrent les batailles d'aujourd'hui avec les armes d'hier sont comme les généraux d'entreprise qui entendent remporter la guerre marketing actuelle grâce à l'arme publicitaire, quand c'est le vaisseau amiral des relations publiques qu'ils devraient piloter.

Hier, l'armure. Aujourd'hui, les frappes aériennes. Hier, la publicité. Aujourd'hui, les relations publiques.

La publicité tenant le devant de la scène dans la plupart des lancements de nouveaux produits, vers qui les entreprises se tournent-elles donc pour les aider à définir leur stratégie marketing ? De moins en moins vers leur agence de publicité parce qu'elles savent pertinemment ce que l'on va leur conseiller. Elles se débrouillent donc toutes seules, sans aide extérieure. Ou elles demandent à des consultants comme nous de travailler avec elles sur les questions de marketing stratégique, y compris les relations publiques.

À l'avenir, gageons-le, c'est vers les agences de RP que les entreprises regarderont pour trouver les compétences qui les aideront à définir les orientations stratégiques de leurs marques et la publicité n'aura d'autre choix que d'épouser la cause de ce nouveau capitaine.

Ce qui nous attend demain, c'est une croissance explosive du secteur des relations publiques. Et un respect accru pour ce métier et cette discipline dans les entreprises et ailleurs.

Demain, parions-le, résonneront à nos oreilles les hurlements d'angoisse des professionnels de la publicité. Et l'argent ne sera pas seul en cause. La menace la plus terrible pour les dirigeants d'agences de publicité sera la perte de leur rôle traditionnel de partenaires du marketing.

Car le marketing est entré dans l'ère des relations publiques.

Première partie

Le déclin de la publicité

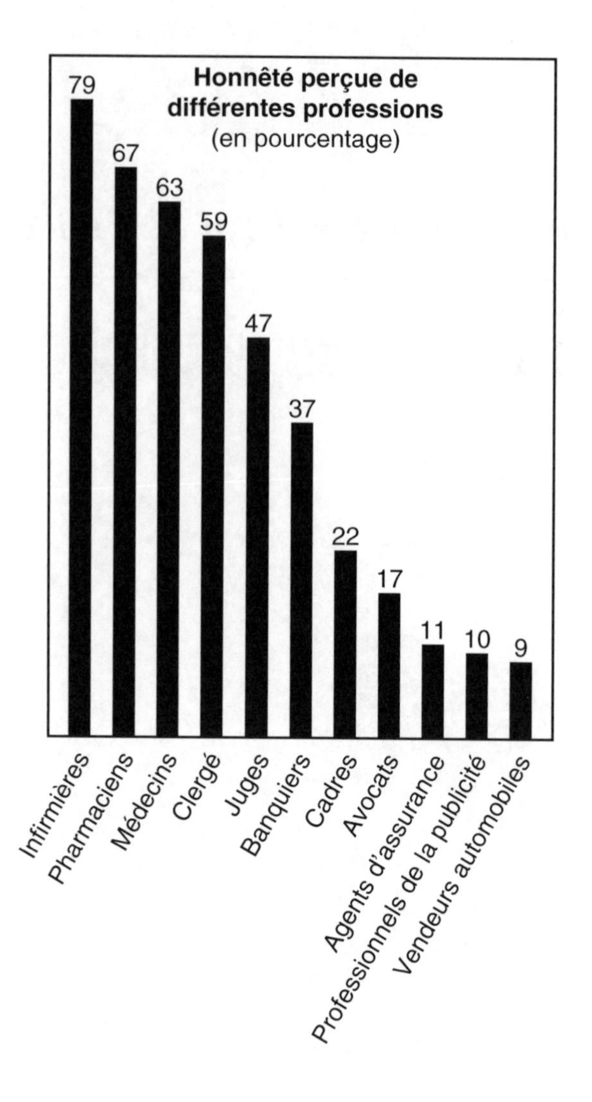
Honnêté perçue de
différentes professions
(en pourcentage)
79
67
63
59
47
37
22
17
11
10
9
Infirmières
Pharmaciens
Médecins
Clergé
Juges
Banquiers
Cadres
Avocats
Agents d'assurance
Professionnels de la publicité
Vendeurs automobiles

1

La publicité et les vendeurs de voitures

Il n'y a pas très longtemps, quatre infirmières de la ville de New York ont trouvé la mort dans un accident spectaculaire : leur voiture est tombée dans le vide du cinquième étage du parking d'un motel. Ce fait divers a été repris par toute la presse de la ville, et a même fait la une du *New York Post*. Quelque 1 600 personnes ont assisté à leurs funérailles dans la cathédrale Saint-Patrick. L'ancien maire de New York Giuliani y a pris la parole. « Les Anges montent au ciel, 1 600 personnes viennent leur dire au revoir », a titré la presse.

Les infirmières sont les infirmières. Les dirigeants d'agences de publicité sont les dirigeants d'agences de publicité et, à ce titre, ne suscitent pas nécessairement la même sympathie – vivants ou morts. Si quatre publicitaires étaient tombés en voiture du pont de Brooklyn après un déjeuner bien arrosé, les médias leur auraient réservé un tout autre traitement. « Des escrocs vont au diable dans une Honda. »

Regardons la réalité en face. Dans un récent sondage de l'institut Gallup sur l'honnêteté et l'éthique individuelles dans trente-deux professions, la publicité et les publicitaires se classent au dernier rang ou presque, juste entre l'agent d'assurance et le vendeur de voitures. (Le graphique présente les principaux résultats du sondage, exprimés en pourcentage de personnes interrogées considérant comme honnêtes les membres des différentes professions de l'échantillon.)

Si vous ne croyez pas ce que vous dit un agent d'assurance ou un vendeur automobile, pourquoi iriez-vous croire ce que vous lisez sur une publicité ? Leur degré de crédibilité est le même.

Comme si ce problème d'image auprès du grand public ne suffisait pas, la publicité est aussi mise à mal dans l'entreprise.

Le problème de la publicité dans l'entreprise

« Quelle stratégie vous conseille votre agence de publicité ? », avons-nous récemment demandé à un de nos clients, PDG d'une grande entreprise.

« Nous ne demandons jamais à notre agence ce que nous devons faire, a-t-il répondu. Nous le lui disons. »

La publicité a fait son temps. Rideau. Aujourd'hui, les clients font rarement confiance à leur agence pour les aider dans leurs décisions stratégiques. Ce qui était autrefois un partenariat marketing a dégénéré en une banale relation client/vendeur. (Une étude du Patrick Marketing Group auprès de dirigeants marketing indique que seulement 3 % des directeurs interrogés déclarent avoir confié à leur agence de publicité la création de l'identité des marques de leur société.)

Un sondage récent conduit par l'American Advertising Federation (AAF) montre que les relations publiques jouissent d'une plus grande estime que la publicité. Il était demandé aux dirigeants de dire quels services étaient les plus importants pour la réussite de leur entreprise. Qu'on en juge :

- Développement produit 29 %
- Planification stratégique 27 %
- Relations publiques 16 %
- Recherche et développement 14 %
- Stratégies financières 14 %
- Publicité 10 %
- Juridique 3 %

Seul le service juridique vient après la publicité dans le sondage de l'AAF. La publicité a beau compter pour une part substantielle du budget d'une entreprise, son image auprès du management a été sérieusement entamée.

Et donc, qu'a fait l'AAF pour redorer le blason de la publicité ? Très exactement ce que font les entreprises elles-mêmes quand elles sont en difficulté. Lancer une campagne de publicité pour améliorer l'image de la publicité auprès des entreprises. Sur le thème : « La publicité. Le plus sûr moyen de devenir une grande marque. »

Mais si vous êtes convaincu que le développement produit, la planification stratégique, les relations publiques, la recherche et développement et les stratégies financières sont plus importantes que la publicité pour la réussite d'une entreprise (et c'est ce qu'indique le sondage), pourquoi diable iriez-vous croire une pub qui affirme effrontément que c'est grâce à la publicité que les grandes marques sont devenues de grandes marques ?

Nous sommes en présence d'un cas classique de dissonance cognitive. On ne peut pas en même temps douter de l'efficacité de la publicité et croire un slogan qui vous dit que la publicité fait les grandes marques. À moins, naturellement, de ne pas croire à l'importance des grandes marques. Ce qui signifierait que l'American Advertising Federation n'est pas confrontée à un mais à deux problèmes : la publicité *et* les marques.

Le maillon le plus faible d'une campagne de publicité est sa crédibilité. Aux yeux de l'individu moyen, un message publicitaire est rarement digne de confiance. La publicité est prise pour ce qu'elle est – un message partisan financé par une société ayant intérêt à ce que le consommateur achète ses produits.

L'âge d'or de la publicité

Il n'en a pas toujours été ainsi. Après la Seconde Guerre mondiale, les grandes entreprises américaines se sont adonnées sans compter à la publicité. Chez Procter & Gamble, Hershey's, Coca-Cola, Campbell's et bien d'autres géants de la grande consommation, c'étaient les gens de la pub qui dictaient leur loi.

Même Hollywood y est allé de ses films dont les héros étaient des publicitaires. *The Hucksters* (que l'on pourrait traduire par *Les marchands d'illusion*), avec Clark Gable et Deborah Kerr en fut un exemple marquant. Ou encore *L'homme au complet gris*, avec Gregory Peck. (Les gens pensaient que quiconque portait un costume en flanelle grise travaillait dans la pub, mais Gregory Peck incarnait en fait un professionnel des relations publiques.)

Favorisé par l'apparition de la télévision après la Seconde Guerre mondiale, le volume publicitaire a explosé. En 1972, les dépenses publicitaires annuelles par Américain s'élevaient à 110 dollars (soit 465 dollars courants). Aujourd'hui, elles sont de 865 dollars. Il faut nous y résoudre : nous vivons dans une société noyée sous la communication, une société de surcommunication et le vacarme ne cesse d'augmenter.

Et que se produit-il lorsque le volume de quelque chose – tout ou presque – s'envole vers des sommets stratosphériques ?

Plus de volume, moins d'efficacité

L'augmentation du volume de publicité est allée de pair avec le déclin de son efficacité. Toutes les études sur le sujet nous livrent les mêmes conclusions. Plus il y a de publicités dans un support donné, moins chaque publicité est efficace.

Une publicité dans un magazine peu épais est en général vue et lue par davantage de lecteurs qu'une publicité dans un numéro plus épais de la même publication. Un spot dans une émission télévisée n'accueillant que peu de publicité est en général remarqué par un plus grand nombre de personnes que si l'émission de télévision est entrecoupée de nombreux spots.

Si le volume de publicité a augmenté, ses coûts ont progressé encore plus vite. En 1972, par exemple, le coût d'un spot de 30 secondes pendant la retransmission du Super Bowl était de 86 000 dollars et il était vu par 56 640 000 personnes. Coût au mille : 1,52 dollar.

L'année dernière, un spot de 30 secondes pendant le Super Bowl coûtait 2 100 000 dollars et touchait 88 465 000 personnes. Coût au mille : 23,74 dollars, soit 16 fois plus cher. (Pour être tout à fait honnête, si l'on tient compte de l'inflation, le coût au mille aujourd'hui est « seulement » 3,7 fois plus élevé. Cela dit, une hausse de 270 % en trente ans n'en demeure pas moins une hausse significative.)

Outre les coûts de diffusion, il faut aussi prendre en compte les coûts de production qui sont tout sauf bon marché. Selon l'American Association of Advertising Agencies, le coût moyen pour produire un spot télé de 30 secondes s'élève actuellement à 343 000 dollars.

Et les prix grimpent encore pour certaines catégories de produits. Le coût moyen de production d'un spot de 30 secondes pour une boisson gazeuse ou un snack est de 530 000 dollars. Il grimpe à 1 053 000 dollars pour les vêtements.

Lorsqu'on étudie les tarifs publicitaires des différents médias, on constate partout les deux mêmes tendances. Augmentation des volumes, qui réduit l'efficacité, et augmentation des coûts, qui réduit la rentabilité.

Combinées, ces deux tendances ont fait de la publicité un outil cher et difficile à utiliser pour influencer les consommateurs et les prospects. (Si vous vous êtes dit un jour que votre entreprise dépensait de plus en plus d'argent en publicité pour des résultats de moins en moins satisfaisants, vous êtes probablement dans le vrai.)

La publicité est une anomalie

La plupart des produits et services suivent une évolution inverse. En général, les prix baissent avec le temps.

Comparons les communications téléphoniques et la communication publicitaire. En 1972, année où MCI a lancé ses services, le coût moyen d'une communication longue distance était d'environ 20 cents la minute. Aujourd'hui, il est de 7 cents la minute ou moins.

Le même phénomène se vérifie avec les tarifs aériens, la restauration rapide, les boissons non alcoolisées, les produits électroniques et des centaines d'autres produits et services. Au fil du temps, la concurrence s'intensifie, les entreprises apprennent à réduire leurs coûts et les prix (ajustés sur l'inflation) tendent à baisser.

En 1990, 5 millions de personnes seulement utilisaient un téléphone portable aux États-Unis et leur facture mensuelle moyenne s'élevait à 81 dollars. Aujourd'hui, les États-Unis comptent 110 millions d'utilisateurs de portables et leur facture mensuelle moyenne est de l'ordre de 45 dollars.

En cinq ans à peine, le prix moyen d'un appareil photo numérique est passé de 560 dollars à 370 dollars et dans le même temps, le nombre de pixels (mesure de la qualité de définition) a considérablement augmenté.

Le meilleur exemple de ce phénomène de baisse des prix est sans conteste l'ordinateur. L'ordinateur personnel à 1 000 dollars qu'on peut acheter aujourd'hui est plus puissant que l'unité centrale à un million de dollars que l'on pouvait acheter il y a trente ans.

Le volume de publicité continue de croître

Mais hausse des prix et baisse de l'efficacité n'ont pas réduit le volume de publicité. Année après année, l'augmentation des dépenses publicitaires l'emporte sur la croissance du PIB.

En 1997, les dépenses publicitaires ont augmenté de 7 % aux États-Unis par rapport à l'année précédente. En 1998, de 8 %. En 1999, de 10 %. Et en 2000, de 10 % encore. (L'année 2001 fait figure d'exception à cause des attaques terroristes. Les dépenses publicitaires ont enregistré leur deuxième baisse en quarante ans, avec un recul de 6 %.)

À l'heure actuelle, les dépenses publicitaires aux États-Unis s'élèvent à 244 milliards de dollars par an, pour représenter 2,5 % du produit intérieur brut, un record. À titre de comparaison, le budget de la défense était de 291 milliards de dollars en 2000.

D'autres pays sont en passe de rejoindre les États-Unis au rang de sociétés saturées de publicité. Hong Kong, le Portugal, la Hongrie, la Grèce et la République Tchèque consacrent d'ores et déjà une part plus importante de leur PIB aux dépenses publicitaires que les États-Unis. Reste que l'Amérique compte aujourd'hui à elle seule pour 44 % du total des dépenses publicitaires mondiales.

237 messages par jour

À combien de messages publicitaires l'individu moyen est-il exposé au cours d'une journée ? C'est une question à laquelle beaucoup de spécialistes de la communication ont essayé de répondre, leurs estimations allant jusqu'à 5 000 par jour.

Mais qu'est-ce qu'un message ? Un bandeau dans un magazine ou un spot de 30 secondes à la télévision ? Comment comparer une page de publicité dans un magazine (composée d'une trentaine d'encarts) sur laquelle le lecteur pose les yeux pendant peut-être une demi-seconde et un spot télévisé de 30 secondes ? La personne qui voit les deux est-elle exposée à 31 messages publicitaires ?

Il y a un meilleur moyen d'estimer la consommation de publicité quotidienne par personne. Des dépenses publicitaires annuelles de 244 milliards de dollars équivalent à une dépense de 2,37 dollars par jour et par individu.

Pour la plupart des gens, qui dit publicité dit publicité télévisée. Le coût moyen d'un spot de 30 secondes avoisine les 10 dollars pour mille soit un cent par personne. Par conséquent, l'individu moyen est exposé à 237 spots télévisés (ou leur équivalent dans d'autres médias) chaque jour, soit 86 500 spots par an.

Deux cent trente-sept spots télévisés, c'est considérable ! L'équivalent d'un long métrage constitué de publicités mises bout à bout. Et, naturellement, le « par personne » englobe toutes les catégories d'individus, depuis les nourrissons jusqu'aux pensionnaires des maisons de retraite. Un CSP + dans la fleur de l'âge peut s'attendre à être exposé à quatre ou cinq fois plus de publicité.

L'effet papier peint

Avec l'augmentation du volume de publicité, les messages publicitaires sont devenus une toile de fond. De notre lever à notre coucher, nous baignons dans la pub. Ce n'est pas seulement son volume qui met à mal l'efficacité de la publicité, mais aussi le nombre de messages différents auxquels l'individu moyen est exposé. La société d'études new-yorkaise

CRM, par exemple, suit désormais les dépenses publicitaires de quelque neuf mille marques.

Conséquence de cette masse et de cette diversité, nous avons tendance à nous déconnecter de tout message publicitaire. Seule une publicité inhabituelle est susceptible de retenir notre attention.

Ce n'est pas parce qu'une chose est grande que tout le monde la remarque. Un salon de taille moyenne contient environ 120 m^2 de papier peint, soit l'équivalent de 190 pages du *New York Times*. Pourtant, on peut tout à fait passer des heures dans le salon d'un ami sans se rappeler le moindre détail du papier qui est sur les murs. (Si vous avez du papier peint chez vous, depuis quand une personne entrant pour la première fois dans votre salon ne vous a-t-elle pas dit : « Ouah ! Génial, ton papier peint » ?)

Vous pouvez être exposé à 190 pages de publicité dans le *New York Times* avec le même résultat. L'incapacité de vous souvenir du moindre détail de 120 m^2 de pub.

L'Américain moyen sait-il qui est Rosario Marin ? Mary Ellen Withrow ? Non ? Et pourtant, il voit ces noms tous les jours sur ses billets de banque. Mary Ellen Withrow a été ministre des Finances sous l'administration Clinton. Et Rosario Marin sous l'administration Bush. L'argent est comme le papier peint. À l'exception des chiffres en gros dans les angles, on remarque à peine ce qui est imprimé sur les billets.

La publicité, de manière générale, est une chose que nous avons appris à ignorer. Si on devait lire tous les messages qui croisent notre regard, nous n'aurions le temps de rien faire d'autre.

Il existe des exceptions. Vos toilettes débordent et vous cherchez un plombier dans l'annuaire. Vous déménagez et vous cherchez une nouvelle maison dans les petites annonces. Vous sortez avec des amis et vous cherchez les horaires de cinéma dans le cahier loisirs de votre journal.

Hors ce type d'exceptions, 90 % des publicités relèvent de la « règle ». En d'autres termes, elles sont conçues pour vous inciter à acheter une certaine marque. C'est une tâche difficile. Très difficile même. Car le consommateur moyen a le sentiment qu'il en sait suffisamment sur les marques pour faire son choix tout seul.

Un message unilatéral

Plus important encore, le consommateur moyen a le sentiment que l'information contenue dans les publicités est unilatérale. Les messages publicitaires ne disent pas tout, ne proposent pas d'alternative et sont souvent trompeurs. Rien de surprenant, dès lors, à ce que les publicitaires jouissent peu ou prou de la même estime que les vendeurs de voiture.

Qui trompe qui ? « Notre produit contient plus de vitamines, plus de minéraux et plus de protéines que tout autre produit sur le marché. » Bien sûr, 1 % de plus.

« Notre camion est doté du plus long empattement, de la plus grande couchette et de la chape la plus large du secteur. » Bien sûr, 3 centimètres plus longue et 3 centimètres plus large.

Il y a aussi le message usé jusqu'à la corde mais qui continue de faire les beaux jours des agences façon : « Aucune pile ne dure plus longtemps qu'une pile Duracell. » Traduction : ce sont toutes les mêmes.

Autrefois, à l'époque où il n'y avait pas ou peu de publicité, toutes les publicités étaient efficaces. Les publicités étaient lues et les gens en parlaient entre eux. Ils étaient impatients de lire les annonces presse en quadrichromie dans le magazine *Life* ou de découvrir les derniers spots sur *Texaco Star Theater.*

Mais ce temps est révolu. La publicité n'est plus ni nouvelle ni excitante. Parce qu'il y en a trop. La publicité a pris ses quartiers d'hiver en Floride et entamé une retraite bien méritée.

Comment cela se peut-il alors même qu'il n'y en a jamais eu autant ? En volume total comme en volume par individu. Comment une technique de communication peut-elle être en même temps à l'apogée de sa popularité et sur le point de disparaître ?

L'histoire est là pour éclairer notre lanterne. Quand une technique de communication perd sa vocation fonctionnelle, elle devient une forme d'art.

2

La publicité et l'art

Avant l'invention de l'imprimerie et l'apparition du livre imprimé, c'est par la poésie que l'on se transmettait des histoires d'une génération à l'autre. Il est beaucoup plus facile de se souvenir d'une histoire en vers que d'une histoire en prose, pour la raconter ensuite à d'autres. C'est en vers, faut-il le rappeler, que Homère (vers 850 avant J.-C.) a écrit ses chefs-d'œuvre *L'Iliade* et *L'Odyssée.*

La poésie est sans doute aussi populaire aujourd'hui qu'elle l'était à l'époque de Homère. Ce qui a changé, c'est qu'elle figure aujourd'hui au rang des expressions artistiques. Sa fonction de communication a disparu. De nos jours, la plupart des auteurs n'utilisent plus la poésie pour transmettre des informations sous forme verbale. Ils lui préfèrent la prose parce que les livres imprimés permettent de transmettre facilement des textes aux générations futures.

Quand la peinture devient art

Quand la photographie n'existait pas, la peinture était utilisée pour diffuser l'image des rois et des reines, des princes et des princesses, à travers leur royaume. Grâce aux tableaux, une génération savait à quoi ressemblaient ses ancêtres. Avant l'avènement de la photographie, ces artistes que sont Rembrandt, Rubens, Raphaël, Michel-Ange, Léonard de Vinci, pour ne citer qu'eux, peignaient toujours dans un style réaliste.

(Aujourd'hui, le milieu de l'art est sens dessus dessous à cause de la théorie avancée par David Hockney selon laquelle les grands maîtres, dès les années 1430, utilisaient des instruments optiques pour les aider à produire des images réalistes.)

La peinture est tout aussi populaire aujourd'hui qu'elle l'était à l'époque de Rembrandt. Mais la peinture aujourd'hui est une forme d'expression artistique presque totalement déconnectée de la réalité. La photographie assumant progressivement le rôle de la communication visuelle, la peinture a glissé dans l'abstraction, pour devenir de l'art.

(Il est peu probable qu'on se trompera de sens pour accrocher une photo ; mais le tableau de Matisse *Le Bateau* est resté accroché à l'envers 47 jours au musée d'Art moderne de New York avant que quelqu'un remarque l'erreur.)

L'outrance des prix constitue l'un des indicateurs du basculement d'une discipline dans l'art. Lorsque votre arrière-arrière-grand-père a fait peindre son portrait pour la postérité par un artiste local, il est vraisemblable qu'il a rémunéré celui-ci à l'heure, à un tarif modeste. Depuis que la peinture est devenue un art, il n'y a plus de limite au prix des œuvres.

Il y a dix ans, le *Portrait du docteur Gachet* par Vincent Van Gogh est allé à un acheteur japonais pour 82,5 millions de dollars. Si le docteur Gachet avait voulu laisser à ses descendants une image de lui, il lui suffisait de prendre la pause devant l'objectif… faisant ainsi économiser quelques dollars à notre acheteur japonais.

L'art n'a pas de fonction ; il n'y a donc pas de limite à sa valeur. Une œuvre d'art vaut ce que quelqu'un est disposé à payer pour elle. De manière révélatrice, ce prix dépend essentiellement du battage médiatique dont l'œuvre a fait l'objet, et non des actions publicitaires de Sotheby's ou de Christie's.

La sculpture était autrefois utilisée pour créer des icônes ou des représentations des dieux. Aujourd'hui, à l'heure où la plupart des gens ne croient plus en des dieux de pierre, de cuivre ou de bois, la sculpture est devenue une forme d'art. Aucun parc ou jardin public en Amérique ne serait complet sans un généreux assortiment d'objets en métal ou en pierre, mais peu d'individus les vénèrent. La sculpture est aujourd'hui un art.

Quand la publicité devient art

La publicité prend le même chemin que la sculpture, la peinture et la poésie. « La publicité, écrivait déjà Marshall McLuhan, est la plus grande forme d'art du 20e siècle. »

Ce point de vue d'intellectuel est relayé par les plus grands praticiens de la publicité et tous ceux qui la font au quotidien. Mark Fenske, concepteur-rédacteur très demandé, connu pour son travail sur Nike et d'autres grandes marques, déclare ainsi : « C'est peut-être la forme artistique la plus puissante sur terre. » Le légendaire George Lois a pour sa part intitulée son œuvre maîtresse *L'art de la publicité : George Lois et la communication de masse.*

Des musées du monde entier abritent des collections permanentes de créations publicitaires. Les affiches des campagnes de la vodka Absolut sont encadrées et exposées comme des tableaux. Une collection de publicités pour le savon Ivory est exposée au Smithonian ; la bibliothèque du Congrès abrite une collection de publicités pour Coca-Cola et le musée d'Art moderne possède une collection de spots télévisés.

Les chaînes de télévision compilent des spots et les diffusent comme des émissions à part entière. CBS et ses *Super Bowl's Greatest Commercials*, ABC et ses *Best Commercials You've Never Seen (And Some You Have)*, PBS et ses *Super Commercials : A Mental Engineering Special.*

Franchissez la porte de n'importe quelle agence de publicité dans le monde et jetez un coup d'œil aux murs. Pour un peu, vous vous croiriez dans un musée : des kilomètres de murs d'affiches et autres créations publicitaires savamment mises en valeur dans des cadres hors de prix.

Minute papillon, avez-vous peut-être envie d'objecter. Après tout, les agences de publicité ne font rien d'autres qu'exposer des échantillons de leur travail. Certes, mais les avocats ne mettent pas sous-verre des copies de leurs meilleures plaidoiries. Pas plus que les médecins ne décorent leur salle d'attente de photos de leurs opérations les plus brillantes. Nous ne sommes jamais entrés dans une agence de publicité (et nous en avons visité des dizaines, vous pouvez nous croire) qui expose sur ses murs des graphiques des ventes de ses clients.

Quels sont, cela dit, le rôle et la fonction de la publicité ? Posez donc la question à n'importe quel concepteur-rédacteur ou directeur artistique. S'agit-il d'augmenter les ventes du client de 10 % ou de remporter le Lion d'or à Cannes ? S'ils sont honnêtes, ils vous répondront en général qu'ils concourent pour l'or.

Pourquoi nous insurgeons-nous contre l'assimilation de la publicité à un art ? Pour la simple et excellente raison que les créateurs se préoccupent alors davantage de ce que la postérité pensera de leur travail que de ce que les prospects penseront de la marque.

De plus en plus de consommateurs, eux aussi, considèrent la publicité davantage comme une forme d'art que comme un vecteur de communication. Combien de fois avez-vous entendu quelqu'un vous dire : « J'ai vu une pub géniale hier soir à la télévision ; j'étais mort de rire. »

Et quand vous leur demandez le nom du produit, ils vous répondent immanquablement : « Je ne m'en souviens pas. » Et quand ils se souviennent du nom du produit, ils prennent des airs outragés si vous leur demandez s'ils ont l'intention d'acheter la marque en question.

Les gens regardent les publicités de la même façon qu'ils lisent un roman ou regardent une série télé. Ils se plongent dans des personnages, des situations et des intrigues sans la moindre intention de les reprendre à leur compte ni d'adopter une quelconque démarche active, y compris celle d'acheter le produit. Du grand art. (Pour certains, la comptabilité aussi est en passe de devenir un art dans des entreprises comme Enron.)

Quand l'armée devient art

Dans notre société, le chemin qui mène de la fonction à l'art est très emprunté. Prenons par exemple une fonction militaire traditionnelle, la relève de la garde.

En Corée, la relève de la garde à 2 heures du matin était une cérémonie très simple qui durait environ 20 secondes.

« Tu as remarqué quelque chose, Al ?

- Rien, à part qu'il fait un froid de canard.

- C'est bon, je te remplace. Tu peux aller au pieu. »

À Buckingham Palace, la relève de la garde est une cérémonie compliquée qui dure environ 20 minutes. Question : Que gardent les gardes ?

Rien. Au Palais de Buckingham, la relève de la garde est devenue une forme d'art.

Avant l'invention du mousquet, le sabre était un instrument de guerre important. Cela fait plusieurs siècles que le sabre n'a plus aucune fonction sur un champ de bataille.

Le sabre a-t-il pour autant disparu ? Non, absolument pas. Pendant la Guerre Civile, tout officier avait un sabre au côté. Dans le tribunal de Appomattox, Lee s'est rendu à Grant en lui remettant son sabre. Aujourd'hui encore, tous les élèves de West Point ont leur sabre. Le sabre a perdu sa fonction et est devenu un objet d'art.

L'art est reconnaissable à son usage extensif dans le langage de tous les jours. Bien que le sabre n'ait plus de fonction dans notre société, il demeure vivant dans la langue. Personne ne dit : « Mitrailler le champagne. »

Quand le cheval devient art

Avant l'avènement de l'automobile, le cheval était le premier moyen de locomotion. Le cheval a-t-il disparu avec l'invention de l'automobile ? Non, absolument pas. Il y a aujourd'hui plus de chevaux en Amérique qu'il n'y en a jamais eus, mais aucun ou presque n'est utilisé à la seule fin de se déplacer. Courses de chevaux, galas équestres, randonnées équestres… la passion du cheval prend de multiples formes. Le cheval a perdu sa fonction pour se ranger parmi les arts.

Plus de 7 millions d'Américains travaillent dans l'industrie du cheval, un secteur dont le chiffre d'affaires annuel s'élève à quelque 112 milliards de dollars. Davantage que celui de l'industrie ferroviaire aux États-Unis, alors même que le chemin de fer est une forme fonctionnelle de transport.

Plagier l'art de la peinture

L'art auquel les publicitaires s'identifient le plus est la peinture. Pour leurs campagnes, les directeurs artistiques (qu'il serait plus pertinent d'appeler directeurs de « mise en page » ou directeurs « visuels ») s'inspirent souvent des grands courants de l'art pictural.

- *Le minimalisme.* La plupart des publicités pour la mode utilisent cette approche dont le pionnier fut Mark Rothko. Une récente insertion de huit pages quadri dans le *New York Times Magazine* utilisait deux mots en tout et pour tout. Le mot *Nautica* en page 1 et le mot *Nautica* en page 8.
- *Le pop art.* De nombreuses campagnes pour des alcools s'inspirent de ce courant. Baptisées publicités « bouteille-et-verre », elles évoquent chez le consommateur les boîtes de soupe Campbell's et les boîtes Brillo de Andy Warhol. De fait, l'une des publicités pour Absolut les plus célèbres a été réalisée par Andy Warhol.
- *L'expressionnisme abstrait.* Bon nombre de pubs pour des supermarchés et des concessionnaires de voitures d'occasion sont presque aussi désordonnées que les huiles de Willem de Kooning. Tout est à vendre, semblent-elles vouloir dire.
- *Le surréalisme.* Les campagnes pour les marques et les produits de haute technologie s'inspirent souvent du travail de Salvador Dali. Les hommes volants mis en scène dans une récente publicité pour Microsoft XP en sont un exemple.
- *Le sensationnalisme.* Autre style très en vogue parmi les publicitaires, celui de Damien Hirst, l'artiste britannique qui a coupé un cochon en deux, entre autres actes provocateurs. L'appel à candidatures pour l'édition 2001 des Atlanta Addy Awards ne comporte pas de texte, seulement la photo d'un homme aveugle affublé d'une étiquette « juge Addy » qui suit un chien d'aveugle.

De l'art de devenir célèbre

Se faire un nom dans le monde de l'art relève des mêmes principes que la création de marque en marketing. On devient un artiste célèbre (ou un produit célèbre) en étant le premier dans une nouvelle catégorie. Avec le temps, les critiques d'art donnent un nom à la nouvelle catégorie et l'associent à l'artiste qui en a été le pionnier. Le sensationnalisme et Damien Hirst, par exemple. Et encore :

- Impressionnisme – Claude Monet
- Pointillisme – Georges Seurat
- Expressionnisme – Vincent Van Gogh
- Synthétisme – Paul Gauguin
- Peinture naïve – Henri Rousseau
- Fauvisme – Henri Matisse
- Cubisme – Pablo Picasso
- *De Stijl* ou néo-plasticisme – Piet Mondrian
- *Action painting* – Jackson Pollock
- Art kinétique – Alexandre Calder

Un artiste ne peut pas devenir célèbre en peignant à la manière de Picasso. Et une voiture ne deviendra pas célèbre en copiant Porsche. L'un et l'autre sont des œuvres originales. Chacun est créatif au sens courant du terme.

Ce qui nous conduit tout droit au mot le plus galvaudé et le plus mal compris du marketing.

3

La publicité et la créativité

Si vous avez déjà travaillé pour une agence de publicité (ce qui est notre cas), vous savez que le mot qui y est le plus galvaudé est celui de *créativité* – et ses multiples avatars, de la création à la « créa ».

On citera pêle-mêle : département création, directeur de création, approche créative, stratégie de créa, plate-forme de créa… Qui dit publicité ou agence de pub, dit nécessairement créativité.

Mais au fait, en quoi consiste un acte de créativité ? D'après le dictionnaire et en se référant aux usages courants du terme, la créativité consiste à produire quelque chose d'original, ou de nouveau et de différent.

Et si d'aventure quelque chose de « vieux et pareil » venait à mieux fonctionner que quelque chose de « nouveau et différent » ? Ah ? Aucune importance. Il est hors de question d'utiliser le « vieux et pareil », au motif que ce n'est pas créatif. Après tout, c'est pour ça qu'on paye les agences de pub, non ? La créativité, pas vrai ?

Du produit et de la créativité

Mais la créativité ne relève-t-elle pas davantage du produit que de la publicité pour celui-ci ? Construire une marque, n'est-ce pas, par essence, créer la perception que la marque a été la première dans une nouvelle catégorie plutôt que la perception que la publicité pour la marque est révolutionnaire ?

N'est-il pas vrai que vous serez moins enclin à acheter un produit si vous pensez que la publicité est géniale et le produit médiocre ? Et plus enclin à acheter un produit si vous trouvez la publicité médiocre et le produit génial ? Et n'est-il pas vrai, également, que la plupart des gens pensent que la publicité en tant que telle ne sert à rien, qu'elle n'est qu'une nuisance que l'on est contraint de supporter si on veut regarder la télévision ou écouter la radio ? Ou de feuilleter pour dénicher les vraies informations dans des journaux ou des magazines ?

En se focalisant sur la créativité, les agences de publicité partent du principe que le marketing est une guerre de spots télé et d'annonces presse plutôt qu'une guerre de produits. Et les agences veulent remporter la bataille de la pub parce que cela rime avec récompenses, reconnaissance des médias et nouveaux clients.

Quand la pub fait son zoo

Comme les artistes en quête de reconnaissance, les publicitaires cèdent facilement aux sirènes de la mode. Il y a quelques années, une véritable frénésie animalière s'est emparée de Madison Avenue, les « Champs-Elysées » de la pub américaine. L'un des premiers annonceurs à ouvrir le bal a été la marque de piles Energizer, avec de petits lapins.

La grande parade des animaux pouvait commencer. Il y eut Coca-Cola et les ours polaires. Budweiser et les fourmis, les grenouilles, les furets, les castors puis les lézards. Lorsque Bud Ice se mit en quête d'une mascotte, les créatifs se demandèrent quel animal était le plus susceptible de boire de la bière glacée ? Mais les pingouins bien sûr. Bud Ice opta donc pour le pingouin.

La poste américaine choisit les aigles. Merrill Lynch, les taureaux. Taco Bell, les chihuahuas. Allstate, les cerfs. Dreyfus, les lions. Yahoo !, les dauphins. American Tourister, les gorilles. E*Trade, les chimpanzés. La Z-Boy, les ratons laveurs. Cadillac, les canards. Range Rover, les éléphants. Et BMW, les tortues. Des tortues ? Le bolide dernier cri est une tortue ? Vitesse de pointe, trois kilomètres par jour.

Une publicité de deux pages pour le ludospace Saturn Vue a même réussi l'exploit de contenir 23 animaux différents.

L'utilisation des animaux en publicité est-elle une bonne ou une mauvaise chose ? Comme toute question touchant au marketing, la bonne réponse est : ça dépend.

Tout dépend du produit. Si vous faites de la pub pour un zoo, utiliser des animaux est sans doute une bonne idée. Si vous vendez une voiture, probablement pas.

Mais l'esprit créatif réfléchit différemment. Si personne d'autre n'utilise d'animaux pour vendre une voiture, alors, les animaux peuvent être une bonne idée. Et pour être réellement créative, la publicité pour la voiture doit mettre en scène un animal que personne d'autre n'utilise. Élémentaire. D'où les tortues pour BMW.

La parade des animaux va continuer, c'est probable. Les publicitaires ont à leur disposition plus de quatre mille espèces de mammifères, de la musaraigne, qui pèse quelques grammes, à la baleine, qui peut peser jusqu'à 140 tonnes. La baleine, cela va sans dire, est déjà prise par Pacific Life mais la musaraigne est toujours disponible si cela vous intéresse.

La quête du nouveau et du différent

Al a travaillé pour Renault à l'époque où la marque voulait promouvoir son modèle Dauphine comme alternative à la Coccinelle de Volkswagen. Le directeur de création a présenté le visuel de la campagne, une photo de deux centimètres carrés de la voiture sur un océan de blanc au format d'une page du magazine *Life*.

« Toutes les publicités automobiles, a souligné le directeur de création, utilisent de grandes photos de la voiture. Nous allons jouer la différence et utiliser de petites photos. » Bel exemple de pensée créative en action.

« Certes, a répondu Al, mais la Dauphine a une belle ligne alors que la Coccinelle est laide. C'est notre seul avantage. Il ne vaudrait pas mieux une grande photo pour bien montrer cet avantage ? »

La créativité a remporté cette bataille, comme beaucoup d'autres d'ailleurs, et la publicité est sortie dans le format prévu. Les ventes ont été à la hauteur de la taille du visuel et la Dauphine n'a pas tardé à être retirée du marché.

Pour alimenter leur feu créatif, les publicitaires boivent souvent à la source d'autres secteurs. Ils fréquentent les musées et les salles obscures, dans une quête toujours recommencée du nouveau et du différent.

Ils trouvent dans les films d'excellentes sources d'inspiration. Les agences de publicité engagent souvent des réalisateurs comme Spike Lee, Woody Allen, David Lynch, Errol Morris, les frères Cohen ou Guy Ritchie (mari de Madonna pour ceux qui l'ignoreraient) pour tourner des films publicitaires pour la télévision. Et lorsque les directeurs de création des agences de pub veulent grimper dans l'échelle sociale, ils prennent le chemin d'Hollywood et réalisent des films (Spike Jonze, Michael Bay, David Fincher, Tarsen Singh, parmi d'autres).

L'industrie du cinéma elle-même n'est pas loin de succomber aux sirènes de l'art. Un film « d'art » est, par définition ou presque, un film que personne ne va voir et les rares personnes qui tentent l'expérience ne comprennent pas de quoi il parle.

La campagne « jouets » de Nissan

Beaucoup de spots publicitaires empruntent des idées au cinéma. Vous vous souvenez de la pub Nissan d'il y a quelques années qui mettait en scène Barbie, Ken et autres G.I. Joe, au rythme de *You Really Got Me* de Van Halen ?

Décortiquons la démarche de l'esprit créatif qui accouche de ce genre de pub. (1) Toutes les publicités automobiles utilisent la photo, donc nous utiliserons de l'animation. (2) Toutes les publicités automobiles utilisent de vraies voitures, donc nous utiliserons des jouets. (3) Toutes les publicités automobiles utilisent de vrais individus, donc nous utiliserons des figurines.

Lee Clow, le directeur de création le plus couronné de la profession, à qui l'on doit la pub Nissan, résume sa conception d'un travail créatif révolutionnaire en ces termes : « Une publicité qui change les règles du jeu dans une catégorie. Pour toujours. »

Cette créativité-là fait le bonheur des milieux autorisés. Le spot a été élu meilleur spot de l'année par *USA Today*, *Time*, *Rolling Stone*, le Mondial de l'Automobile, et une flopée d'autres journalistes. Le magazine *Adweek* qualifia la pub Nissan de « campagne la plus commentée de 1996 ».

La créativité gagne des prix mais gagne-t-elle aussi des ventes ? Les faits sont éloquents et... démoralisants. Qu'on en juge plutôt. L'année où fut diffusée la publicité pour Nissan, les ventes de Toyota augmentèrent de 7 %, celles de Honda de 6 %. L'ensemble du secteur finit l'année sur un chiffre d'affaires en hausse de 3 %. Les ventes de Nissan chutèrent de 3 %.

« La campagne de pub de Nissan a fait un tabac partout sauf dans les concessions », titra pour l'occasion la une du *Wall Street Journal*. Le constructeur automobile en fut pour ses frais. Nissan Motor Corporation USA licencia 450 de ses cols blancs, soit 18 % de l'effectif total de cette catégorie de collaborateurs. Et le président de Nissan fut « contraint » de quitter la société pour un poste chez Republic Industries.

Ce qui n'empêcha pas l'agence de publicité de Nissan de s'en sortir avec une réputation intacte. Aussi incroyable que cela puisse paraître, l'agence a toujours le budget Nissan et n'a pas présenté d'excuses pour la malheureuse campagne. Clow a cavalièrement écarté les plaintes à propos de son manque de résultats en disant : « Ce n'est pas moi qui conçoit les voitures. » (Pas plus que vous n'aidez à les vendre, M. Clow.)

Un peu comme si un avocat disait : « Je me fiche que mon client ait perdu son procès, j'ai fait une plaidoirie magnifique. »

L'approche Bruce Willis

La publicité adore les bons mots. Si Hollywood réalisait aujourd'hui *The Hucksters*, le rôle titre du film irait très certainement à Bruce Willis.

Un exemple typique d'annonce presse pour le bourbon Knob Creek : « Papa a légué à Johnny la maison dans les Hamptons et les écuries. J'ai eu sa dernière caisse de Knob Creek. » Et la signature : « Papa n'a jamais beaucoup aimé Johnny. »

Dans le monde de la publicité, Johnny a eu la maison dans les Hamptons et les écuries. Dans le monde réel, Johnny aurait eu un vilain procès sur les bras.

Voici quelques exemples de publicités finaudes pour de grandes marques automobiles :

- « Ce n'est pas souvent que vous lirez les mots *intelligent* et *musclé* dans la même phrase. » Chevrolet Avalanche.
- « Peut provoquer une frénésie d'accélérateur. » Nissan Altima. (Ce n'est pas souvent que vous lirez dans la même phrase les mots *frénésie* et *accélérateur.*)
- « La porte du garage se referme et vous vous dites : Oh, c'était le pied. » Lincoln LS.
- « C'est comme un monstre dans un film d'horreur. Il revient toujours, plus malin et plus fort. » Honda CR-V.
- « Plus excitant que croustillant. » Volkswagen Passat.
- « Du foie gras au prix du cheeseburger. » Hyundai.
- « Et pourquoi pas du caviar dans un mélange apéritif ? » Jeep Grand Cherokee Overland.
- « Un bon gros hamburger juteux dans un monde de tofu. » Dodge Durango.
- « Soyons brefs – le CR-V a des projets pour le week-end. » Honda CR-V.
- « Loin de nous l'idée de dénigrer les autres camions. Mais que voulez-vous, ça s'est fait tout seul. » Chevrolet Avalanche.
- « AVS. AHC. VSC. Un très mauvais tirage au Scrabble ou une très bonne suspension ? » Lexus LX 470.
- « Et si la fontaine de jouvence n'était pas une fontaine ? » Audi A4.
- « Un ange gardien de 2 tonnes. » Jeep Grand Cherokee.
- « Notre moteur 270 chevaux peut battre votre… mais non, vous n'avez pas de moteur 270 chevaux. » Chevrolet TrailBlazer.
- « C'est quoi votre massage préféré ? Suédois, Shiatsu, Reiki ou Lexus ? ». Lexus LS 430.
- « Le plus grand pied que vous puissiez prendre dans une voiture sans baisser les sièges. » Hyundai Tiburon GT V6.
- « Au-delà des sensations. Du pelotage éhonté. » Acura RSX Type-S.

- « La première voiture offensée par son propre prix. » Mistubishi Lancer.
- « Ceinture Noire de performance. » Nissan SE-R Spec V.
- « Elle défie tout, même les mots. » Cadillac Escalade EXT.
- « Des millions de gens sont très contents de conduire des voitures ennuyeuses. Pourquoi pas vous ? » Chevrolet Impala LS.
- « Vous êtes un grain microscopique dans l'univers. Autant être un grain microscopique avec plus de puissance, non ? » Chevrolet Tahoe.
- « Plus grand, plus spacieux, plus luxueux. Toute la frime, sans la frime. » Chevrolet TrailBlazer.
- « Mettre la barre plus haut ? Nous, on a préféré la défoncer et la mettre KO. » Camions Chevrolet.
- « Certains insectes meurent plus noblement que d'autres. » Camions Dodge.
- « Peut provoquer un sentiment de supériorité. » Nissan Altima.
- « Ça vous gêne, vous, les encombrements ? » Toyota Camry.
- « Tellement agile qu'elle peut faire un demi-tour en minuscules. » GMC Yukon XL Denali.

Vous vous souvenez d'avoir lu ces slogans ? Sans doute pas. Et quoi de plus normal ! Aucune de ces publicités n'utilise de mots que les individus normaux utilisent lorsqu'ils parlent de voitures. Ces publicités sont « créatives ».

Notre publicité automobile « préférée » illustrant les excès de la créativité est une annonce presse pleine page pour Infiniti. Visuel : un lézard assis sur le volant d'une I35. Le texte tient en deux phrases : « Il n'y a pas de plus grand bonheur que de se glisser à l'intérieur d'une I35 par un jour de grand froid pour trouver un volant chauffant. Comme si avoir entre les mains le volant d'une berline qui développe 255 chevaux ne suffisait pas. »

Nous ne sommes pas sûrs qu'un volant chauffant soit un argument suffisant pour débourser 30 000 dollars pour une Infinity I35. Cela dit, de nombreuses publicités automobiles contiennent de réelles innovations camouflées derrière des slogans à dormir debout.

Considérons par exemple une publicité pour le Sierra Denali de GMC : « Nous n'avons pas réinventé la roue. Nous nous sommes seulement dit que les quatre roues pourraient être directrices. » Et, cachée dans le texte, la vraie information : « Le premier et le seul pick-up 4 roues directrices du monde. »

Pour qui souhaite acheter ce genre de véhicule, les 4 roues directrices peuvent constituer une puissante motivation d'achat, mais l'idée a besoin de la crédibilité que confère une bonne couverture média. Combien de modèles sont dotés de 4 roues directrices ? Cela réduit-il les risques d'accident ? Qu'en pensent les autorités ? Envisage-t-on de rendre les 4 roues directrices obligatoires sur tous les nouveaux véhicules ?

Les publicitaires se gargarisent de créativité et d'idées géniales. Mais même lorsqu'une publicité contient une idée géniale (et l'idée de trains avant et arrière directeurs peut l'être), les prospects passent en général à côté du message parce qu'ils ne s'attendent pas à trouver ce type d'information dans une publicité.

Pour être efficace, la publicité n'a pas besoin de créativité. Elle a besoin de crédibilité.

4

La publicité se congratule

Le 22 novembre 1963, au cours du déjeuner annuel des Art Directors Awards, le président du club s'est levé et a déclaré à la tribune : « Le Président Kennedy a été assassiné. Mais je sais qu'il aurait voulu que nous continuions. »

Pour continuer à faire la course en tête dans le microcosme publicitaire, ce qui est important, c'est de recevoir des prix. Cela vaut pour les individus comme pour les agences. L'équivalent des Oscars de la profession sont les Lions d'or décernés lors du Festival International du Film de Publicité qui se tient tous les ans à Cannes. Remportez un Lion d'or à Cannes et vous serez le roi de la jungle publicitaire.

Au cas où vous feriez l'impasse sur Cannes, vous aurez toujours l'occasion de vous rattraper avec les Andys, Addys, Clios, le One Show, le New York Art Directors Club, les Kelly Awards, les Best Awards d'*Advertising Age* et une kyrielle d'autres compétitions nationales et régionales. Aucun secteur ne distribue autant de prix que l'industrie de la publicité.

Les huiles des agences attendent chaque année avec impatience le Gunn Report qui utilise un système de points compliqué pour classer les lauréats de 31 prix télé et cinéma et 20 compétitions presse. Au total, 17 pays sont inclus dans le rapport. En 2001, le grand vainqueur a été Leo Burnett, suivi par BBD & O et DDB.

Quand on est professeur d'université, « publier ou périr » est la loi du jeu. Quand on est directeur de création, c'est « remporter des prix ou dégager le plancher ». (Une agence de publicité moyenne dépense plus d'argent pour préparer des compétitions que pour des études indépendantes sur les consommateurs.)

La pression pour gagner des prix est tellement forte que certaines agences présentent des publicités spécifiquement créées pour participer à des compétitions. Ces « fausses » pubs posent un réel problème à la profession. « Les organisateurs de compétitions publicitaires unissent leurs forces pour mettre le holà à l'avalanche de participations bidons », titrait ainsi récemment le *Wall Street Journal.*

La moustache de lait

Aucune campagne de publicité n'a autant retenu l'attention aux États-Unis que la saga « Vous avez du lait ? » orchestrée par le National Fluid Milk Processor Promotion Board.

Bill Clinton, Naomi Campbell, Joan Rivers, Vanna White, Christie Brinkley, Lauren Bacall, Jennifer Aniston, Tony Bennett, Danny deVito, Venus et Serena Williams, Patrick Ewing, Dennis Franz et John Elway sont quelques-unes des célébrités à s'être prêtées au jeu de la moustache de lait. Tout ce que l'Amérique compte de gens qui comptent.

Entrée dans la culture populaire, la campagne a été reprise à toutes les sauces. Plagiée, parodiée et copiée partout et sous toutes les formes possibles et imaginables : émissions de télévision à succès, sitcoms, films, cartes de vœux, T-shirts. Le Ballantine Publishing Group a même édité un livre sur le sujet, *The Milk Mustache Book*, de Jay Schulberg, avec pour sous-titre « Les coulisses de la campagne de pub préférée des Américains ».

Si la campagne de la moustache de lait est la pub préférée des Américains, pourquoi le lait n'est-il pas la boisson préférée des Américains ? La consommation de lait par habitant est en chute libre et a atteint l'année dernière son niveau le plus bas.

Lee Weinblatt, qui dirige une société d'études sur la publicité, déclare ainsi que bien que tout le monde fasse des gorges chaudes de la campagne moustache de lait, les ventes du produit continuent de baisser.

« Les jeunes filles ne boivent pas de lait parce qu'elles pensent que cela fait grossir. Aucune pub n'aborde le sujet », souligne Lee Weinblatt.

Le point de vue des annonceurs

Que pensent les annonceurs de la « récompense mania » dont souffrent les nababs de la pub ? Deux points de vue semblent prévaloir.

Le management intermédiaire en raffole. « Hé, on a trouvé notre pub géniale. » Et d'exposer trophées et plaques avec le même enthousiasme que leurs homologues des agences de pub. Ils voient également dans les trophées publicitaires d'excellents moyens de gravir les échelons de leur carrière personnelle, au sein de leur propre entreprise ou ailleurs.

Les dirigeants, pour leur part, manifestent une fâcheuse tendance à les oublier. Aucun PDG ne nous a jamais dit : « Notre campagne a remporté un prix l'année dernière. » À croire que pour eux, les prix ne valent pas grand-chose ou n'ont aucun lien avec l'augmentation des ventes, lien qui, soit dit en passant, nous échappe à nous aussi.

Ce que nous constatons en revanche chez les dirigeants, c'est une prise de conscience de plus en plus générale que la publicité a perdu sa fonction de communication pour devenir un art. Les PDG n'ont pas envie de passer pour des philistins ; bon an mal an, ils tolèrent donc la publicité comme ils tolèrent le rapport annuel hors de prix, les œuvres d'art hors de prix sur les murs de la salle du conseil d'administration et le mobile Calder sur la pelouse à l'entrée. La publicité ne fait pas beaucoup de bien, mais elle ne fait pas de mal non plus.

Certains considèrent que l'architecture est une autre discipline en passe de vendre son âme à l'art. Le nouveau musée Guggenheim de Bilbao, en Espagne, et son créateur, Frank Gehry, sont au cœur de la polémique. Le credo de l'architecte américano-canadien – ce qui compte, c'est que la forme soit créative et attire l'attention – a désormais beaucoup plus d'adeptes que l'austère « la forme suit la fonction » de Mies van der Rohe.

Le phénomène semble se répéter à l'infini. La fonction d'aujourd'hui est l'art de demain. Les objets que les musées nous offrent à voir ont peut-être eu une fonction dans le passé mais celle-ci s'est perdue et l'art l'a supplantée. Une Mercer Raceabout de 1911 constitue un magnifique spectacle pour les yeux mais elle laisse beaucoup à désirer comme moyen de transport.

Certains dirigeants sont aussi fiers de leurs publicités que de la collection d'œuvres d'art de leur société. Ils adorent qu'on leur parle de leur dernière pub sur un court de tennis ou un parcours de golf. Et ils sont encore plus contents quand le slogan de leur campagne envahit les sitcoms ou les talk-shows à la mode.

« La façon la plus rapide de rendre une marque célèbre, déclare ainsi l'agence DDB, est de rendre sa publicité célèbre. Si votre jingle ou votre slogan sont sur toutes les lèvres, les gens seront plus enclins à essayer votre produit. »

(Notez que c'est sur la publicité, et non sur le produit, que l'accent est mis. Nous, on pensait que l'idée était de rendre le produit intéressant, pas la pub pour le produit.)

La campagne « Whassup ? » de Budweiser

Aucun slogan n'est devenu aussi célèbre aussi vite que le « Whassup ? » de Budweiser. Lauréate du Grand Prix Télévision et Cinéma à Cannes, la campagne « Whassup ? » (Alors, quoi de neuf ?) est la plus couronnée de l'histoire de la publicité.

Advertising Age a raconté l'euphorie qu'a déclenchée l'annonce du prix de Cannes : « La demi-douzaine de spots conçus par DDB Worldwide, Chicago, pour Budweiser, la marque du groupe Anheuser-Busch, étaient tellement populaires auprès des festivaliers que les spectateurs continuaient à hurler le slogan maléfique pendant la projection des autres spots. »

« C'était nouveau et drôle, tout le monde en est tombé amoureux, a déclaré un des juges. Il nous a fallu environ 5 minutes pour attribuer le prix, quasiment à l'unanimité. »

L'année suivante, Budweiser a remporté le Lion de bronze à Cannes pour « What Are You Doing ? » (Qu'est-ce que tu fais ?), avatar yuppie de la campagne « Whassup ? ». Et Angust Busch IV, vice-président en charge du marketing d'Anheuser-Busch, a été élu publicitaire de l'année pour « la qualité exceptionnelle [des campagnes Budweiser] au cours des dernières années ».

Minute, papillon ! Est-ce que les campagnes « Whassup ? » ou « What are you doing ? » ont fait vendre de la bière Budweiser ? Si vous voulez tout savoir, les ventes de bière Budweiser aux États-Unis (en barils) n'ont pas cessé de baisser au cours des dix dernières années, passant de 50 millions de barils en 1990 à moins de 35 millions de barils en 2000. Alors, comment va, Bud ?

Ce qui va plutôt très bien, c'est la Bud Light. Depuis dix ans, les ventes de la marque n'ont cessé de progresser : 12 millions de barils en 1990, 32 millions en 2000. Et d'ici peu, les ventes de Bud Light l'emporteront sur celles de Budweiser.

Et pourquoi, avancerez-vous, ne pas décerner le Grand Prix à la publicité pour la Bud Light ? C'est bien elle la marque qui a augmenté ses ventes, non ? Et pas à la pub pour Budweiser, la marque dont les ventes sont en chute libre.

Question idiote. Qui prouve que vous n'avez rien compris à la psychologie de base du créatif. La publicité, c'est de l'art. Rien à voir avec les ventes. On pollue le processus créatif en y introduisant des considérations « bassement » commerciales.

À une exception près, aucune des grandes compétitions publicitaires ne prend en compte autre chose que la publicité en tant que telle. Ni objectifs publicitaires, ni évolution de la notoriété, ni résultats commerciaux, rien, sinon l'effet que la publicité produit sur les juges.

(L'exception est la compétition des Effie Awards, décernés par la branche new-yorkaise de l'American Marketing Association. Comme de bien entendu, les créatifs se vantent rarement d'avoir gagné un Effie, abréviation du mot « efficacité ».)

À moins, peut-être, que le groupe Anheuser-Busch n'investisse beaucoup plus en publicité pour sa marque Bud Light que pour Budweiser ? Tout au contraire. Au cours des cinq dernières années, les dépenses de publicité du groupe pour Budweiser ont été supérieures de 50 % au budget alloué à Bud Light.

Valeur commerciale versus valeur mondaine

Quels sont au juste le rôle et la fonction de la publicité ? On entend rarement les mots *vente* ou *valeur commerciale* dans le discours des publicitaires. Si l'on en croit le directeur de création de DDB pour les États-Unis, la vraie fonction de la publicité est de créer de la valeur « mondaine ».

L'idée est de créer des publicités dont les gens parlent au bureau ou qu'ils recasent pour briller dans un cocktail. Et, avec un peu de chance, ce qui était un bon mot entre dans le langage courant.

La valeur « mondaine » ou *talk-value*, expression déposée par DDB, est aussi appelée « facteur Letterman ou Leno » du nom de deux animateurs de talk-shows à succès aux États-Unis. Quand ils créent une publicité, les concepteurs-rédacteurs et les directeurs artistiques de DDB doivent toujours se poser la question suivante : l'accroche de la pub est-elle digne de figurer dans le top 10 de David Letterman ou d'être reprise dans un monologue de Jay Leno ?

La campagne « Just do it » de Nike

Budweiser mis à part, aucune publicité n'a suscité autant de valeur mondaine que la campagne « Just do it » (Vas-y, fais-le) de Nike. Le célèbre slogan est entré dans le langage de tous les adolescents. Et les publicités télévisées de Nike ont fait un tabac.

À l'heure où nous écrivons, elles mettent en scène Vince Carter, Rasheed Wallace, Jason Williams et d'autres joueurs de la NBA dribblant avec un ballon de basket et dansant au rythme d'une musique vibrante. Baptisés spots « hoop-hop », ils tiennent davantage de clips musicaux que de pubs pour la télévision.

De fait, Nike a réussi à diffuser une version de deux minutes de l'un de ses spots sur la chaîne musicale MTV. Mais à propos, comme se porte Nike ?

Ma foi, plutôt mal. Il y a quatre ans, Nike détenait 47 % du marché des chaussures de sport. Aujourd'hui, sa part de marché n'est plus que de 37 %. Le cours de l'action Nike a chuté de 75 dollars en 1997 à 56 dollars aujourd'hui. « Just do it » s'applique apparemment à tout sauf à l'achat de baskets Nike.

Et qui est en train de damer le pion à Nike ? Reebok, pour commencer, qui est déjà devant Nike. La société a engagé Allen Iverson, la nouvelle coqueluche du basket américain, pour représenter la marque.

Autre concurrent sérieux, Skechers, l'anti-Nike, incarnée par Britney Spears et chouchou de nombreux adolescents pour son image impertinente et branchée.

Les petits lapins d'Energizer

Autre campagne qui a énormément fait parler d'elle, la campagne « Bunny » de la marque de piles Energizer. « Bunny » a passé le test haut la main en ayant les honneurs de Letterman et de Leno… à plusieurs reprises. Ce que n'a pas passé le petit lapin, en revanche, c'est le test des ventes. Energizer détient aujourd'hui 29 % du marché américain des piles contre 38 % pour Duracell.

Le plus drôle dans tout ça, c'est que si tout le monde connaît le lapin, tout le monde ne connaît pas Energizer. Certains pensent que c'est le lapin Duracell. Un participant à un jeu télévisé a perdu 100 000 dollars avec cette question. La campagne de pub fait un tabac, la marque, beaucoup moins.

L'un des problèmes avec la campagne Bunny est qu'Energizer est la marque numéro deux du marché, et que les slogans publicitaires « génériques » sont généralement associés aux marques leaders.

« Just do it » est associé à Nike, la marque leader de la chaussure de sport. « Whassup ? » est associé à Budweiser, la marque de bière leader. Et donc le petit lapin est souvent associé, dans l'esprit des consommateurs, à Duracell.

À vouloir pêcher sans hameçon…

Reste que les trois slogans, quelle que soit leur popularité, ont en commun le même point faible rédhibitoire. Partir à la pêche sans hameçon. Les consommateurs gobent l'appât mais ne sont jamais « ferrés » à la marque.

- Whassup ? « Rien, sauf que j'ai soif. Je crois que je vais craquer et prendre une Heineken. »
- Just do it. « Tu sais que tu meurs d'envie de cette paire de Reebok Iverson. Allez, va les acheter. »
- Le petit lapin est mort. « J'ai besoin de piles. Va me chercher un autre paquet de Duracell. »

L'histoire de la publicité est jonchée de campagnes populaires qui n'ont absolument rien rapporté à la marque. Elles balancent un appât verbal sans se soucier de lui adjoindre un hameçon motivationnel.

- « J'adore Taco Bell » et le chihuahua. (Les ventes ont baissé et l'agence a été remerciée.)
- « La pulsation de l'Amérique », pour Chevrolet. (Chevrolet s'est fait doubler par Ford.)
- « Il y a certaines choses que l'argent ne peut pas acheter. Pour tout le reste, il y a MasterCard. » (MasterCard ne cesse de perdre du terrain face à Visa.)

Ces slogans et des centaines d'autres sont du miel pour l'esprit. Ils sont mémorables, il est possible qu'ils soient même associés à la marque dans l'esprit du consommateur, mais ils ne motivent pas le public à acheter la marque. Ils pêchent sans hameçon.

La campagne Alka-Seltzer

Les publicités pour Alka-Seltzer comptent parmi les plus populaires au monde. La jeune mariée qui décide de faire des « huîtres pochées » à son mari. L'estomac parlant qui gronde son propriétaire parce qu'il a mangé une pizza aux poivrons. L'acteur de télévision qui n'arrive pas à dire : « *Mamma mia, thatsa spicy meatball.* » Le glouton qui gémit : « Je n'arrive pas à croire que j'ai tout mangé. »

Advertising Age a élu la campagne Alka-Seltzer treizième meilleure campagne de tous les temps.

Le spot « *Mamma mia* » d'Alka-Seltzer a été élu spot le plus drôle de tous les temps dans un sondage réalisé par MTV.

Et comment se porte Alka-Seltzer aujourd'hui ? Pas très bien. « Malgré quelques-unes des meilleures publicités de tous les temps, écrivait ainsi le magazine *Forbes*, l'Alka-Seltzer magique est plutôt raplapla. »

5

Publicité et notoriété de la marque

L'un des premiers objectifs d'une campagne publicitaire est d'accroître la notoriété de la marque. Cette affirmation ne figure-t-elle pas parmi les tables de la loi publicitaire ? Et comment accroître la notoriété d'une marque sinon en lançant des campagnes qui attirent l'attention ?

« Se faire remarquer », semble être le mot d'ordre de la gente publicitaire. Mais l'attention sans motivation est un attribut inutile. Quand Volvo met en scène une voiture qui percute un mur en acier, le test d'accident retient certes l'attention du spectateur mais il renforce également l'image de sécurité de Volvo dans son esprit. Lorsqu'une publicité se contente de jouer la carte de l'esbroufe, fait-elle réellement progresser quoi que ce soit ?

Les publicitaires ne reculent devant rien pour attirer l'attention du consommateur. Nissan a utilisé des poupées. IBM, un clochard. Pets. com a créé une marionnette. Taco Bell a confié son destin à un chihuahua. Embassy Suites a embauché le chat Garfield. Outpost. com a loué de petits rongeurs, les gerbilles, pour les propulser depuis un canon. Xerox a exhumé Léonard de Vinci pour promouvoir sa gamme de photocopieurs.

De telles pratiques sont-elles exceptionnelles, cas d'école illustrant les excès auxquels peut succomber la publicité ? Non. Soir après soir, les chaînes de télévision nous offrent à voir des orgies de publicités. (D'accord, les pubs sont meilleures que les émissions mais est-ce pour autant qu'elles vous vendent quoi que ce soit ?)

Examinons d'un peu plus près la problématique de la notoriété en publicité et ce qu'« attirer l'attention » peut signifier.

Le spectre de notoriété des marques

Considérons les deux extrémités du spectre : les marques dont personne n'a entendu parler et les marques que tout le monde connaît. La notoriété de marque semble suivre une courbe en cloche inversée. La plupart des marques sont regroupées à l'une ou l'autre extrémité. Le milieu est le point faible.

Tout le monde a entendu parler de Taco Bell. Personne n'a entendu parler de Outpost. com. La même chose est vraie pour les pays. Tout le monde a entendu parler de l'Afghanistan et personne du Turkménistan. Essayez donc de trouver un pays ou une marque qui puisse se targuer d'un taux de notoriété de 50 %. Rien de moins évident.

Les agences de publicité préconisent souvent des campagnes « choc » pour les marques dont la notoriété est faible. Il faut que nous apprenions aux prospects qui nous sommes avant de pouvoir commencer à communiquer sur les bénéfices de notre produit, telle semble être leur logique.

Mais si vous n'avez jamais entendu parler de l'entreprise en question, pourquoi diable iriez-vous vous intéresser à ce qu'elle raconte ? On se souvient des gerbilles, pas de l'avant-poste. (L'habit ne fait pas le moine : vous vous arrêtez à une pompe à essence et vous êtes servi par George Bush. Il est probable que vous vous souviendrez de cet événement toute votre vie. Si c'est George Burke qui vous sert, il est probable que la rencontre vous marquera beaucoup moins.)

Il se produit exactement la même chose quand vous regardez la télévision. Non seulement vous ne vous souvenez pas des marques que vous ne connaissez pas mais vous n'essayez même pas de retenir leur nom.

C'est désespérant. Le publicitaire le plus célèbre du monde a un jour dit de notre jeune agence : « Comment voulez-vous qu'ils soient bons ? Je n'ai jamais entendu parler d'eux. » Vous êtes célèbre ou vous n'existez pas ; entre les deux, point de salut.

Comment une marque passe-t-elle d'une extrémité du spectre à l'autre ? La publicité n'est pas le chemin le plus aisé pour l'y conduire. Deux choses jouent contre elle. La publicité en elle-même n'est pas crédible. Et la marque dont personne n'a entendu parler n'est pas crédible non plus : « Ils ne peuvent pas être bons puisque je ne les connais pas. »

Les relations publiques éliminent ces deux problèmes. Le message est crédible parce qu'il émane d'une source vraisemblablement non biaisée. Qui plus est, vous attendez des médias qu'ils vous parlent de choses que vous ne connaissez pas. C'est bien ça, l'information, non ?

Comment rendre célèbre le Turkménistan ? Certainement pas grâce à la publicité. (De temps en temps, la publicité peut transformer une marque obscure en mini célébrité. La campagne aux canards d'AFLAC en est un exemple. Savoir si cette campagne générera des retombées positives pour AFLAC est une autre question. La plupart des gens connaissent le canard mais n'ont aucune idée de ce que fait AFLAC ni de ce qu'incarne ce nom.)

Imaginons maintenant que votre marque se situe à l'autre extrémité du spectre. Tout le monde la connaît. Quelle est la valeur d'une campagne visant à attirer l'attention dans le cas d'une marque dont tout le monde a entendu parler ? Une chose est sûre : la notoriété de votre marque n'y gagnera pas grand-chose qui, à 90 ou 95 %, est sans doute déjà à son maximum.

Nombre de publicités pour des marques très connues ne visent qu'à attirer l'attention du consommateur et ne véhiculent aucun message. Les spots télévisés « freestyle » et « hoop-hop » pour Nike, par exemple. À quoi rime ce genre de publicité ? Certainement pas à accroître la notoriété de la marque puisque Nike est déjà très connue.

Le sceau de la créativité

De l'esbroufe et pas de message, c'est à ça que l'on reconnaît la publicité « créative ». Quand vous supprimez tout ce qui pourrait interférer avec la valeur divertissante d'une pub, vous créez une « pure » œuvre d'art publicitaire. Ce sont ces publicités-là qui remportent des prix.

Le directeur de l'agence de publicité la plus créative du monde a un jour couvert d'éloges un spot télévisé produit par son agence pour les supermarchés Bayless. Le spot consistait en deux scènes.

Scène 1. Image d'un rouleau de papier toilette avec en voix off : « Mesdames, messieurs, du papier toilette. Maintenant en vente dans votre supermarché Bayless, et pour un temps limité, du papier toilette. Et… »

Scène 2. Le même rouleau de papier toilette avec un tube en carton posé à côté. « À l'intérieur de chaque rouleau, découvrez un tube en carton. Gratuit ! [signature] Le nouveau Bayless. »

Ce spot, qui a été couronné par un Lion d'argent à Cannes, prouve « une nouvelle fois qu'on peut avoir de grandes idées avec de petits budgets », a déclaré le directeur de l'agence de publicité la plus créative du monde.

Sûrement très drôle mais probablement totalement inopérant dans les foyers. Monsieur et madame voient la publicité à la télévision, se regardent et s'exclament : « Allons vite faire un saut chez Bayless. Il y a une promo sur le papier toilette. » Vous y croyez, vous ? Nous, vraiment pas. (C'est un spot que seul Andy Warhol aurait pu adorer.)

Il est impossible de défendre cette publicité pour le papier toilette en arguant qu'elle a rendu le supermarché célèbre. Bayless est déjà connu en Arizona où sont situés ses magasins.

Où est la cause ? Où est l'effet ?

Les publicitaires justifient souvent le recours à des campagnes « coup d'éclat » en disant qu'elles rendent le produit célèbre. En fait, c'est l'inverse qui est exact.

Le chihuahua n'a pas rendu célèbre Taco Bell. Taco Bell a rendu célèbre le chihuahua. Le petit lapin n'a pas rendu célèbre Energizer. Energizer a rendu célèbre le petit lapin. La marionnette n'a pas rendu célèbre Pets. com. L'argent de Pets. com a rendu célèbre la marionnette, etc., etc.

Où est la cause, où est l'effet ? Ce sont rarement les icônes publicitaires qui rendent les marques célèbres. Mais les marques connues rendent souvent célèbres les icônes publicitaires.

Qu'en est-il des marques qui se situent au milieu du spectre, avec des niveaux de notoriété de l'ordre de 50 % ? La publicité peut-elle les faire grimper jusqu'au firmament des 90 % ?

Peut-être. Mais il faut être conscient d'une chose : ces marques intermédiaires vont, de toute façon, dans une direction ou dans l'autre. Soit elles ont ce qu'il faut pour évoluer vers le bon côté du spectre, soit elles sont déjà sur le déclin. Une marque qui a le vent en poupe n'a pas besoin de publicité et il est probable que la publicité ne sauvera pas une marque sur le déclin.

Les stars à moitié célèbres sont rares ; les marques à moitié célèbres aussi. Vous l'êtes ou vous n'êtes pas.

6

La publicité et les ventes

On l'appelait « la malédiction des Clio ». Une agence de publicité qui recevait un Clio Award pour un client avait toutes les chances de perdre ce client l'année suivante.

À croire que les publicités couronnées de récompenses ne généraient jamais les retombées commerciales escomptées par les annonceurs…

L'histoire de Joe Isuzu

Malgré l'enthousiasme qu'elles déchaînent, rares sont les campagnes de publicité à succès qui se traduisent par des résultats commerciaux à la hauteur de l'hystérie médiatique qu'elles suscitent. Qui ne se souvient de Joe Isuzu, le vendeur de voitures menteur des années 1980 ?

Sous les traits de l'acteur David Leisure, Joe débarqua sur le petit écran américain en juillet 1986. L'année qui suivit, les ventes de voitures d'Isuzu progressèrent de… 1,7 %. Depuis, c'est la descente aux enfers.

En 1988, les ventes de voitures d'Isuzu avaient baissé de 38 %. En 1989, de 34 % par rapport à 1988. En 1990, de 64 % par rapport à 1989.

En 1991, American Isuzu Motors remercia l'agence de publicité qui avait créé la campagne Joe Isuzu. En 1992, la société annonça qu'elle arrêtait la production de voitures particulières.

Ainsi va la vie. La chirurgie publicitaire a fait des merveilles mais le patient est mort.

Beaucoup de publicitaires relativisent le manque de succès d'Isuzu en invoquant la notoriété créée par la campagne. Le célèbre vendeur de voitures Joe Isuzu a peut-être contribué à doper les ventes de camions de la marque. Mais que disent les chiffres ? L'année où Joe Isuzu est arrivé sur le devant de la scène marque l'apogée des ventes de véhicules (voitures particulières et camions) Isuzu aux États-Unis. Total des ventes en 1986 : 127 630.

Jamais plus la marque ne renouvellera pareil exploit sur le marché américain. Aujourd'hui, les ventes sont inférieures à 100 000 véhicules par an. Et d'après vous, qu'envisage American Isuzu Motors pour remédier à cette situation ? Eh oui, faire renaître Joe Isuzu de ses cendres.

« Avec un chiffre d'affaires en perte de vitesse et une image sérieusement entamée, peut-on lire sous la plume de Bruce Horovitz dans le *Chicago Sun-Times*, American Isuzu Motors ressort l'une des icônes publicitaires les plus célèbres de tous les temps. »

Au vu des performances de Joe Isuzu, pourquoi diable la société fait-elle de nouveau appel à lui ? Cela n'a aucun sens, évidemment, mais une telle démarche est révélatrice de la domination que continue d'exercer la pensée publicitaire traditionnelle sur la communauté marketing.

Le but de la publicité traditionnelle n'est pas de rendre le produit célèbre. Le but de la publicité traditionnelle est de rendre célèbre la campagne de pub. La publicité traditionnelle ne vise pas à créer de la valeur commerciale, elle vise à créer de la valeur mondaine.

Joe Isuzu nous fait sourire mais dans la vie réelle, pourquoi achèterait-on une voiture à un vendeur qui ment ? Pourquoi achèterait-on une voiture à un constructeur automobile qui utilise un vendeur menteur à la télévision ? Où est la motivation d'achat ? De l'esbroufe, un appât sans hameçon.

L'argument de la banalisation des produits

Une autre excuse pour faire reprendre du service à Joe Isuzu est l'argument de la banalisation de certains produits. L'idée prévaut que, pour les catégories de produits parvenues à maturité, comme la bière, l'automobile, les chaussures de sport, toutes les marques se valent. Banalisés, ces produits s'apparentent à des matières premières. Traditionnellement, la mission de la publicité en regard de ces produits n'est donc pas d'informer – qu'y a-t-il à dire ? – mais de divertir.

Cette façon de voir les choses imprègne les couloirs créatifs de beaucoup d'agences de publicité. Les créatifs sont prompts à voir des « produits banalisés » partout ou presque. Nous y voyons nous, une bonne excuse au service de la pub paillette brandie par des individus qui de toute façon ne rêvent que de s'envoler pour Hollywood.

L'argument de la banalisation présente un biais majeur. Si de nombreux produits se ressemblent en effet beaucoup, les produits sont rarement *perçus* comme similaires.

Les bières Bud Light et Miller Lite sont peut-être des produits peu différenciés dans la bouteille mais c'est loin d'être le cas dans l'esprit des consommateurs. Bud Light est la bière « in » des jeunes. Miller Lite est la bière « has been » des moins jeunes.

Ce n'est pas de produits dont s'occupe le marketing, c'est de perceptions. Une campagne de publicité ou de relations publiques réussie est une campagne qui crée bien autre chose que de la valeur mondaine. La question centrale, et ô combien délicate, est celle des perceptions dans l'esprit du prospect.

Les relations publiques ou le bouche à oreille sont des moyens bien plus efficaces que la publicité de gérer ces perceptions.

L'une des raisons pour lesquelles la publicité est inopérante relève sans doute d'une forme d'orgueil, qui pousse la profession à une surenchère permanente : quel que soit le problème marketing, la réponse est toujours « davantage de publicité ».

Un annonceur est confronté à de nombreux problèmes. Les usines de la société sont obsolètes, son produit est vendu trop cher et les clients l'abandonnent au profit de marques concurrentes. « Que dois-je faire ? », demande le client au PDG de son agence de publicité.

Réponse du PDG : « De la pub télé. »

Si le seul outil que vous avez dans votre boîte est un marteau, tous les problèmes se mettent à ressembler à des clous. Pourquoi les choses seraient-elles différentes quand on dirige une agence de publicité ?

Si la qualité (prononcez créativité) ne fonctionne pas en publicité, peut-être la quantité donne-t-elle de meilleurs résultats ? En augmentant son volume publicitaire, une société trouvera peut-être le succès. Pour en avoir le fin mot, intéressons-nous donc d'un peu plus près à la santé de quelques-unes des plus gros annonceurs du pays.

Quand Chevrolet fait sa pub

Pendant des années, la marque Chevrolet a eu le plus gros budget publicitaire des États-Unis. L'année dernière, General Motors a dépensé plus de 819 millions de dollars en publicité pour sa marque Chevrolet, dont 67 % en publicité télévisée.

Qu'ont rapporté ces 819 millions de dollars à General Motors ? Chevrolet est-elle la marque de voitures la plus vendue ? Non. C'est Ford. Chevrolet est-elle la marque de camions la plus vendue ? Non. C'est Ford.

Pour tout dire, le budget publicitaire que General Motors consacre à Chevrolet est supérieur de 39 % à celui que le constructeur Ford Motor Company dépense pour sa marque Ford. Et pourtant, les ventes de Ford sont supérieures de 33 % à celles de Chevrolet.

Ma foi, vous direz-vous peut-être, les gens de Chevrolet ne dépenseraient sans doute pas tout cet argent si leurs campagnes de publicité ne fonctionnaient pas. (Et le gouvernement américain ne dépenserait pas non plus 20 milliards de dollars par an en subventions agricoles si cela ne servait à rien.)

Ce n'est pas un phénomène ponctuel. Tous les ans depuis cinq ans, Chevrolet dépense plus en publicité que Ford et vend moins de voitures que son concurrent.

Il y a cinq ans, les ventes de Ford étaient supérieures de 28 % à celles de Chevrolet. Puis vint l'offensive publicitaire de Chevrolet. En cinq ans, Chevrolet a dépensé 3,4 milliards de dollars en publicité, contre 2,9 milliards pour Ford.

Ce n'est pas parce que vous faites plus de publicité que vos concurrents que vous vendez plus de produits qu'eux. La preuve : aujourd'hui, le leadership de Ford sur Chevrolet n'est plus de 28 % mais de 33 %.

Plus frappante encore est la comparaison du coût publicitaire par voiture vendue. Il est de 314 dollars par voiture pour Chevrolet et de 170 dollars pour Ford.

Et maintenant, dites-moi un peu ce que vous feriez si vous étiez à la tête de la division Chevrolet de General Motors ? Augmenter votre budget publicitaire ou le réduire ?

Quand AT&T fait sa pub

L'année dernière, le deuxième plus gros budget publicitaire des États-Unis était celui de l'opérateur de télécommunications AT&T. Quelque 711 millions de dollars ont été investis en publicité pour la marque AT&T. Au fait, comment se porte AT & T ? Pas très bien, pour tout dire.

Ébranlée, la société de télécommunications cherche aujourd'hui à vendre ses activités de téléphonie à l'une des Baby Bell auxquelles son démantèlement avait donné naissance. Et elle envisage de fusionner son service de câble avec Comcast.

Pour citer le *New York Times* : « La volonté d'AT & T de se désengager de la téléphonie, alors que le groupe détient dans son portefeuille le premier opérateur longue distance, confirme si besoin était qu'une stratégie approximative et une trop longue guerre des prix sur le marché des appels longue distance ont laminé la société, qui n'est plus que l'ombre de ce qu'elle a été. »

Peut-être, mais seulement peut-être, qu'AT & T a aussi une stratégie publicitaire approximative.

Quand General Motors fait sa pub

Laissons de côté les marques individuelles comme AT & T et Chevrolet pour nous intéresser à General Motors dans son ensemble. En 1994, Ronald Zarella, ancien de Bausch & Lomb, a rejoint GM comme directeur du marketing. Sa mission : inculquer le *brand management* à la plus grande entreprise du monde.

Le nouveau pape du marketing de GM entendait, selon *USA Today*, faire voler en éclats le vieux credo de l'industrie automobile : « Le produit est roi. » Ron Zarella déclara que l'avenir de GM dépendait autant d'un bon marketing que de bons produits. « Dans l'industrie automobile, tout le monde est convaincu que le produit est roi. Or, ce n'est pas le cas. »

Fidèle à sa culture de gestionnaire de marque, l'une des premières choses que fit Ron Zarella fut de brancher le turbo publicitaire.

- En 1995, General Motors était le troisième plus gros annonceur des États-Unis. Budget : 2,1 milliards de dollars.
- En 1996, General Motors était le deuxième plus gros annonceur des États-Unis. Budget : 2,4 milliards de dollars.
- En 1997, General Motors devenait le premier annonceur américain. Budget : 3,1 milliards de dollars.
- En 1998, 1999 et 2000, General Motors était toujours le premier annonceur américain. Budgets : 3 milliards, 4,1 milliards et 3 milliards de dollars, respectivement.

  Qu'a rapporté tout cet argent à General Motors ?
- En 1995, la part de marché de General Motors est passée de 34 % à 33,9 %.
- En 1996, la part de marché de General Motors est tombée à 32,3 %.
- En 1997, la part de marché de General Motors est tombée à 32,1 %.
- En 1998, la part de marché de General Motors est tombée à 30 %.
- En 1999, la part de marché de General Motors est tombée à 29.6 %.
- En 2000, la part de marché de General Motors est tombée à 28,1 %.

Lorsque Ron Zarella quitta GM en 2001 pour retourner chez Bausch & Lomb, ses convictions avaient changé : « Dans ce boulot, le produit est tout. »

C'est étrange. Et presque incompréhensible. La publicité n'est pas tout et le produit non plus n'est pas tout, mais quelque chose est tout et la plupart des managers semblent passer à côté.

La perception est tout. Comment créer une perception favorable dans l'esprit du consommateur, telle est LA question. Et le moins que l'on puisse dire est que la publicité brille en la matière par son manque de résultats.

Wal-Mart contre Kmart

Très souvent, qui dit gros budget publicitaire dit entreprise avec de gros problèmes. Prenons l'exemple de Wal-Mart et de Kmart. Qui dépense le plus en publicité ?

Contrairement à ce que vous pourriez croire, c'est Kmart, qui a dépensé l'année dernière 542 millions de dollars en publicité nationale contre 498 millions pour Wal-Mart.

Comparons, maintenant, les recettes des deux sociétés. Le tableau n'a plus grand-chose à voir. L'année dernière, Kmart a réalisé un chiffre d'affaires de 37 milliards de dollars sur le marché américain. Celui de Wal-Mart se montait à 159 milliards de dollars.

Aujourd'hui, Kmart est au bord de la faillite. Que feriez-vous pour redresser l'entreprise ? Augmenter vos dépenses publicitaires ?

L'exemple du groupe Wal-Mart apporte énormément d'eau au moulin « anti-pub ». L'une des divisions du groupe, Sam's Club, ne fait quasiment pas de publicité. Alors que le chiffre d'affaires annuel d'un magasin Wal-Mart moyen est de l'ordre de 46 millions de dollars, celui d'un magasin Sam's Club est de 56 millions de dollars.

Comment défendre la publicité lorsque la plupart des gros annonceurs ont des problèmes et que la plupart des petits annonceurs n'en ont pas ?

Les dépenses publicitaires sont souvent comme les dépenses juridiques. Des indicateurs négatifs. Une société qui paye des sommes astronomiques en honoraires d'avocats n'est pas nécessairement une société en route pour la gloire.

Quand Target fait sa pub

Une autre chaîne de magasins discount fait beaucoup de publicité : l'enseigne américaine Target. À la différence de Kmart, toutefois, Target a bénéficié d'une dose massive de relais d'opinions favorables. L'enseigne a eu les honneurs de l'émission d'Oprah Winfrey qui a rebaptisé les magasins du nom faussement francisé de « Tarzhay ». Les ventes s'envolent et la chaîne engrange les bénéfices.

Target a alimenté le feu du bouche à oreille en engageant l'architecte Michael Graves pour dessiner une collection d'articles ménagers et d'objets pour la maison. La société s'est également assurée les services du styliste Mossimo, qui a créé une collection de vêtements pour la marque. Et Target propose dans ses rayons des marques à la mode comme la marque d'articles pour la cuisine Cephalon.

Auprès des consommateurs, le magasin a une réputation de « chic bon marché ». Est-ce la publicité ou les relations publiques (et le bouche à oreille) qui alimentent le succès de Target ? La question reste ouverte. Disons que nous penchons plutôt pour les relations publiques.

(Comme c'est le cas pour un grand nombre de programmes marketing aujourd'hui, la perception du consommateur est déconnectée de la publicité. La publicité de Target – *cible* en Anglais – est centrée sur le symbolisme visuel de son logo en forme de cible, alors que la cible des publicités de la marque, ses clients, parle de larges allées, de rayonnages soignés et de marchandises branchées. Personne ne dit jamais : « Je vais chez Target parce qu'ils ont ce joli logo. »)

Quand Sears Roebuck fait sa pub

Autre gros annonceur en position délicate, Sears Roebuck. L'année dernière, Sears a dépensé 1,5 milliard de dollars en publicité pour son portefeuille de marques, soit environ trois fois plus que Wal-Mart, Kmart ou Target. Mais le chiffre d'affaires de Sears sur le marché américain est même inférieur à celui de Kmart.

Cela dit, être un gros annonceur peut générer des avantages insoupçonnés. Les directeurs de marketing et de publicité sont traités comme les flambeurs à Las Vegas. Repas, spectacles, en veux-tu en voilà. Au moment du Super Bowl, la NFL donne un grand raout pour plusieurs milliers d'annonceurs et de pique-assiettes, histoire de tenir son rang de support le plus convoité et le plus cher du pays. Pour un peu, l'annonceur qui quitte la fête en ayant acheté un spot à « seulement » 2 millions de dollars se sentirait presque mesquin. Dans l'univers de la publicité, comme à Las Vegas, il y a beaucoup de joueurs mais peu de gagnants. Si les professionnels de la publicité organisaient un congrès annuel à Newport, Rhode Island, on pourrait être tenté de demander : « Où sont les yachts des gros annonceurs ? »

General Motors contre General Electric

Comparons deux autres sociétés : General Motors et General Electric. General Motors occupe la 3e place du classement 500 de *Fortune* et General Electric, la 5e place.

C'est General Motors qui dépense le plus en publicité. L'année dernière, la société a investi 3 milliards de dollars en publicité nationale, soit près de deux fois et demi le budget de GE, qui s'élève à 1,3 milliard de dollars.

Les sociétés qui dépensent beaucoup d'argent en publicité ont en général du mal à en faire rentrer dans leurs caisses. General Motors, en dépit d'un chiffre d'affaires supérieur de 42 % à celui de GE, n'a engrangé que 4,5 milliards de dollars contre 12,7 milliards pour GE.

Les sociétés qui dépensent beaucoup d'argent en publicité ne sont pas non plus particulièrement performantes sur les marchés boursiers. La capitalisation boursière de General Motors, le gros annonceur, est de 27 milliards. Celle de GE, le « petit » annonceur, est de 405 milliards de dollars, soit quinze fois celle de GM.

Comparons maintenant leurs deux PDG. Jack Smith Junior, président de General Motors et Jack Welch, l'ancien président et PDG de General Electric.

Jack Welch est la coqueluche du monde des affaires, peut-être le PDG le plus célèbre d'Amérique. Son livre, *Ma vie de patron*, lui a valu un à-valoir de 7 millions de dollars de son éditeur américain et a immédiatement figuré en tête des listes des meilleures ventes.

Jack Smith, le président de General Motors, est aussi anonyme que son nom.

Quand Coca-Cola fait sa pub

Chez Coca-Cola, l'un des piliers historiques du gratin publicitaire, tout ne va pas comme sur des roulettes avec la publicité. La société a changé de dirigeants, d'agences de pub et de campagnes de publicité assez régulièrement.

« KO », le symbole de Coca-Cola à la Bourse, n'est pas non plus en odeur de sainteté auprès des investisseurs. Depuis la mort de son PDG Roberto Goizueta en 1997, la valeur boursière de la société a chuté de 145 milliards de dollars à 119 milliards environ aujourd'hui.

Au cours des cinq dernières années, la publicité pour Coca-Cola a souffert de deux maux terribles. Pas de pub, pas de peps. Personne ne parle de la publicité Coca-Cola (pas de pub) et la publicité ne contient rien qui incite à acheter le produit (pas de peps).

Pour une activité qui est supposée être tournée vers le client, les pubeurs ne voient pas toujours plus loin que le bout de leur nez. Un éditorialiste, peut-être le critique publicitaire le plus célèbre du monde collaborant à la revue publicitaire la plus célèbre du monde, a qualifié un récent slogan Coca-Cola de meilleure signature de l'histoire des boissons gazeuses, voire de l'histoire du marketing.

De qui se moque-t-on ? « Always » (Toujours), la meilleure signature de l'histoire du marketing ? Vous avez déjà entendu quelqu'un dire : « Un Always, s'il vous plaît » ? Ou « Je voudrais un rhum-Always » ? Et d'abord, qu'est-ce que ça veut dire, « Always » ? Que les consommateurs boivent toujours du Coca ?

La vérité est bien différente. Tout le contraire, même. S'ils n'avaient plus de Coca, 99 % des buveurs de cola accepteraient avec plaisir un Pepsi.

Coca-Cola a dérivé de slogan publicitaire inepte en slogan publicitaire inepte. De « Always » à « Enjoy, vivez l'instant » à « Life Tastes Good » (en France, Sourire la vie). En juillet 2001, Coca-Cola s'est retrouvé dans l'obligation peu confortable de verser près d'un million de dollars à Parmalat Canada pour avoir utilisé le même slogan « Life Tastes Good » que Parmalat pour sa marque de beurre Lactantia.

Et, deux mois plus tard, à la suite des attaques terroristes du 11 septembre, Coca-Cola a tout bonnement abandonné le slogan « Life Tastes Good ».

Sous de nombreux aspects, la publicité est un jeu perdant/perdant. Si votre slogan est dénué de sens (ce qui est le cas de la plupart des slogans), il n'aide pas la marque. Si votre slogan a un sens, le prospect n'y croit pas.

C'est bien là le talon d'Achille de la publicité. Ce n'est pas parce que vous dites quelque chose de sensé et de motivant dans une publicité que le prospect va croire ce que vous racontez.

Quand McDonald's fait sa pub

Prenons McDonald's, quatrième plus gros annonceur américain. Au cours des cinq dernières années, McDonald a dépensé plus de 3 milliards de dollars en publicité sur le marché américain.

Les ventes de McDonald's, toutefois, n'ont pas suivi le mouvement. Sur la même période, les ventes moyennes par magasin sont passées de 1,4 million à 1,5 million de dollars, une progression infime d'à peine 1,7 % par an. La publicité ne fait pas franchement bouger les Big Macs chez McDonald's.

Récemment, le PDG de McDonald's Jack Greenberg a déclaré lors d'un congrès de franchisés que « le marketing était cassé » et que la société s'employait à le réparer.

Mais l'échec le plus cuisant de la publicité ces dernières années n'a rien à voir avec les grosses entreprises et leurs gros budgets publicitaires. Il concerne de jeunes pousses sur un marché émergeant.

7

La publicité et les dotcoms

Le boom Internet de la fin des années 1990 a soulevé un problème de taille pour de nombreuses start-up. La ruée sur Internet étant ce qu'elle était, comment un site pouvait-il faire suffisamment parler de lui pour sortir de la masse et générer de la notoriété autour de son nom ?

Pour résoudre le problème, de nombreuses jeunes pousses se tournèrent vers la publicité. Puisque nous ne pouvons pas faire connaître notre société grâce aux médias, se sont-elles dit comme un seul homme, lançons notre site à grand renfort de publicité.

Pourquoi acheter des produits pour chiens et chats sur Pets. com ?

Le site Pets. com vendait aux propriétaires de chats et de chiens des produits pour leur animal préféré. Pas de quoi fouetter un chat en termes de relations publiques… C'est donc tout naturellement que Pets. com s'est tourné vers les publicitaires pour l'aider à se faire connaître.

Pets. com a engagé comme directeur de marketing un ancien de Procter & Gamble et l'agence de publicité réputée la plus créative du secteur. Fidèle aux tables de la loi du métier, l'agence a créé une mascotte, une marionnette tricotée, pour représenter la marque, que

Advertising Age n'hésita pas à qualifier de « première icône publicitaire digne de ce nom créée au pays des dotcoms ».

La Marionnette fit un tabac. Elle recueillit une pluie de récompenses et de lauriers généreusement dispensés par les consommateurs, les médias, la presse professionnelle et les experts en marketing. La Marionnette défila dans le cortège de Noël de Macy's, eut les honneurs de CNN et de l'émission *Good Morning America*, sans oublier *Entertainment Weekly*, *Time* et *People*. Lors d'une récente vente aux enchères, une Marionnette Pets. com originale est allée à un homme d'affaires de San Fransisco pour 20 100 dollars.

Il manque une chose à ce conte de fées : les ventes. En un peu plus de six mois, Pets. com a dépensé trois fois plus en marketing que son chiffre d'affaires de 22 millions de dollars. Forte de ce genre de prouesses financières, Pets. com n'a pas tardé à mordre la poussière et à faire faillite.

La foi de l'agence en la publicité, elle, est intacte. « Le Business Model, les conditions du marché, le NASDAQ, les capital-risqueurs… tout ça, je ne maîtrise pas », a déclaré le président de l'agence de Pets. com. « Cela n'a rien à voir avec la réussite ou l'échec de la campagne. On engage une agence de publicité pour créer une marque et nous n'avons pas failli à notre mission ».

Pas failli à notre mission ? Créé une marque porteuse ? Et d'abord, c'est quoi une marque ? Le président de l'agence de publicité la plus créative du monde confond la publicité avec le produit. La Marionnette n'est pas la marque. (Si cela avait été le cas, le site aurait vendu des marionnettes.) La marque, c'est Pets. com.

La marque est un nom qui représente quelque chose de positif dans l'esprit du prospect. Volvo incarne la « sécurité ». BMW, la « conduite ». Mais qu'incarnait Pets. com ? Une marque qui n'est pas associée à une image dans l'esprit du prospect est une marque qui ne motivera pas le consommateur à acheter. Qui plus est, la plupart des propriétaires de chats et de chiens ne savaient pas très bien si la Marionnette incarnait Pets. com, Petstore. com ou Petopia. com.

Pour quelle raison acheter la nourriture de mon chat sur Pets. com ? C'est à cette question que la société devait commencer par répondre, pour ensuite essayer d'installer la réponse dans l'esprit du propriétaire du chat. Une tâche plutôt difficile et une tâche qui n'entre pas vraiment dans les cordes de la publicité. Pourquoi acheter sur Pets. com ? Parce que « les chats et les chiens ne conduisent pas » a répondu l'agence.

Ridicule, évidemment, mais emblématique de la créativité publicitaire.

Pourquoi acheter des livres sur Amazon. com ?

Lorsqu'Amazon s'est lancé sur le marché de la librairie en ligne, la société avait une réponse très simple : « Tous les livres brochés à – 30 % ». Et c'est à travers les relais d'opinion, et non la publicité, qu'Amazon a diffusé cet avantage client auprès du grand public.

Bien sûr, une fois la marque Amazon. com établie, la société a effectivement lancé une grande campagne de publicité. Mais ce n'est pas la publicité qui a construit la marque, ce sont les relations publiques. La publicité n'a fait que renforcer le positionnement et l'image de la marque que les RP avaient permis d'établir.

Les cimetières Internet sont pleins de marques qui ont essayé d'inverser ce processus – qui ont massivement utilisé la publicité pour se faire connaître sans commencer par utiliser les relations publiques pour établir les références de la société à travers l'aval de tierces personnes.

La tragédie eToys

Autre ratage retentissant sur l'autel d'Internet, celui de eToys. Lancé en 1997, le site de vente de jouets dépensait bientôt rien moins que 60 % de ses recettes en publicité. La société a été introduite en bourse en mai 1999. Le premier jour de sa cotation, elle a été valorisée à 7,7 milliards de dollars, valeur supérieure de 35 % à celle de son concurrent « brique et mortier » Toys « R » Us. Pendant les fêtes de Noël cette année-là, eToys a dépensé 20 millions de dollars dans une campagne de publicité de haut vol.

Quinze mois plus tard, la société faisait faillite. Valorisée un temps à des milliards de dollars, la société ne recueillit que quelque 10 millions de dollars pour ses stocks, son matériel, son mobilier, ses installations, sa marque et son adresse Internet.

Toysmart est un autre marchand de jouets à avoir parié sur la publicité pour construire une marque Internet. Toysmart. com a vécu en tout et pour tout 482 jours et ce, bien que la société ait cédé une participation majoritaire à Walt Disney Company pour près de 50 millions de dollars. Une partie de cet argent a été utilisée pour financer une campagne de publicité de 21 millions de dollars déclinant le thème des « jouets intelligents ».

Cette campagne de publicité est intervenue beaucoup trop tôt. Le site de Toysmart aurait eu besoin des plusieurs années, voire de décennies, de relais d'opinions favorables pour s'imposer comme le seul acteur du secteur refusant de vendre des jouets comme les pistolets ou les mitraillettes ou les derniers jouets à la mode, genre Pokemon. Bâtir une marque à partir de ce genre de message n'est envisageable que si ce message reçoit le soutien entier et inconditionnel des médias.

Le désastre de Value America

Le grand magasin en ligne Value America est une autre société Internet qui vit dans la publicité le moyen de se faire une place dans l'esprit des consommateurs. Lancé en octobre 1997, le site avait de grands projets. À la fin de l'année, son fondateur proclamait que Value America dépenserait 150 millions de dollars en publicité dans les 18 mois.

Six mois plus tard, Value America faisait paraître de pleines pages de publicité dans le *Wall Street Journal*, le *New York Times* et *USA Today* et était également présent en presse professionnelle, en radio et même en télé sur la plupart des grands marchés. Au cours de la seule année 1999, le site dépensa 60 millions de dollars en publicité. Cette même année, Value America enregistra un chiffre d'affaires de 183 millions de dollars et des pertes de 144 millions de dollars.

Investir des millions de dollars pour soutenir un nom faible est un cocktail mortel. Cela ne peut marcher qu'en cas de monopole. Mais partout où s'exerce le libre jeu de la concurrence, il vous faut *primo*, un nom le plus pertinent possible et *secundo*, conserver vos ressources publicitaires jusqu'à ce que vous ayez établi votre légitimité.

Fin 1999, une nouvelle équipe dirigeante prit en main l'avenir de Value America. Leur première tâche fut de produire un nouveau logo, de revoir la conception du site Web et de lancer un nouveau nom. ValueAmerica. com s'appellerait désormais VA. com (et peu importait, semble-t-il, que VA. com évoque bien d'autres choses, comme la *Veterans Administration* ou le sigle de l'état de Virginie).

En août 2000, la société déposait son bilan.

Autres désastres en ligne

Vous ne vous souvenez peut-être pas de la débauche publicitaire à laquelle se sont livrées les sociétés Internet pour faire connaître leurs marques. Les deux tiers de l'ensemble des publicités diffusées pendant la retransmission de l'édition 2000 du Super-Bowl étaient des publicités pour des dotcoms.

En un an (2000), Art.com dépensa 18 millions de dollars en publicité. AutoConnect.com, 15 millions. CarsDirect.com, 30 millions. Drugstore.com, 30 millions. Homestore.com, 20 millions. Living.com, 20 millions. Petstore.com, 10 millions. RealEstate.com, 13 millions. Rx.com, 13 millions.

Vous vous souvenez d'une de ces pubs ? Vous vous souvenez de ces sociétés ?

« La flambée des campagnes de sociétés Internet l'année dernière a causé un préjudice considérable à la réputation de la publicité auprès des PDG du pays » écrivit Rance Crain, rédacteur en chef de *Advertising Age*. « La publicité faite par les dotcoms était tellement dénuée de sens, tellement stupide et tellement vulgaire qu'elle a ébranlé la foi des dirigeants d'entreprise en la puissance de la publicité pour leurs propres marques. »

Quel était le problème des dotcoms ? Une publicité dénuée de sens, stupide et de mauvais goût ? Ou peut-être bien plutôt le fait de s'en remettre à la publicité pour établir la notoriété d'une marque là où elles auraient dû utiliser les relations publiques.

L'un des écueils majeurs du lancement publicitaire tonitruant de ValueAmerica a été son manque de flexibilité. Une montée en régime progressive alimentée par les relations publiques permet, le cas échéant, de changer son fusil d'épaule. On trouvait absolument tout, sur le site de ValueAmerica, depuis les fournitures de bureau, les livres, les aliments pour chiens et chats jusqu'aux vêtements en passant par les voitures, les produits électroniques et les aliments spéciaux. Pourtant, quelque 85 % des revenus de ValueAmerica provenaient des ventes d'ordinateurs et de logiciels. C'est d'un nom inspiré de CompUSA qu'aurait eu besoin ValueAmerica.

(Le futur est toujours imprévisible. Un jeune entrepreneur britannique nous a raconté que, lorsqu'il a lancé une chaîne de magasins de livres d'occasion, il pensait que la société réaliserait 80 % de son chiffre d'affaires en fiction et 20 % en non fiction. C'est exactement l'inverse qui s'est produit.)

Wal-Mart vs ValueAmerica

Comparons Wal-Mart, le plus grand distributeur du monde, avec ValueAmerica. Sam Walton, le fondateur de Wal-Mart, a ouvert son premier magasin à prix réduits Wal-Mart à Rogers, dans l'Arkansas, en 1962. Huit ans plus tard, Wal-Mart est entré en bourse avec 18 magasins et un chiffre d'affaires de 44 millions de dollars.

Au cours de ces huit années, Sam Walton s'est démené pour faire connaître ses magasins et faire parler de lui mais il a très peu investi en publicité. Ce n'est qu'une fois que les relais d'opinion et le bouche à oreille eurent fait de Wal-Mart un nom connu de tous que la société put investir à bon escient en publicité.

Il ne s'agit pas ici d'opposer un démarrage rapide (ValueAmerica) et un démarrage lent (Wal-Mart). Ce qui compte, c'est qu'une société se lance sur un marché aussi vite que le lui permettent les relais d'opinion, le bouche à oreille, les médias. Impossible d'enclencher le processus autrement.

ValueAmerica aurait-elle pu connaître le succès en copiant la stratégie progressive de Wal-Mart ? Sans doute pas. Où est le concept RP ? Voilà un site Internet qui prétendait tout vendre, des baignoires au chocolat en poudre, des brosses à dents aux téléviseurs haut de gamme.

À la différence du message simple d'Amazon. com – tous les livres brochés à – 30 % — ValueAmercia n'avait aucun message qui mérite d'être relayé dans les médias. Il s'agissait simplement du nième site Internet vendant tout et n'importe quoi.

Si vous voulez lancer une nouvelle marque aujourd'hui, vous avez besoin d'un message qui retiendra l'attention des medias. Sans relais d'opinion, votre nouvelle marque échouera, aussi bon le produit ou le service soit-il. Avoir un meilleur produit ou un meilleur service ne suffit pas. Il faut un meilleur concept de RP.

Parfois, même un meilleur concept RP ne suffit pas. Au cours de sa courte vie, Webvan, le site de livraison de produits alimentaires, a bénéficié d'une couverture medias considérable, à 99 % favorable.

Mais comment une entreprise peut-elle gagner de l'argent en vendant de l'épicerie à des prix de supermarchés et en proposant en plus la livraison gratuite ? Une mauvaise idée soutenue par d'excellentes relations publiques reste une mauvaise idée sans avenir.

Nous avons conseillé sur leur stratégie marketing deux sociétés Internet qui ont violé le principe fondamental « d'abord, les RP ; ensuite, la pub ». Toutes les deux étaient adossées à de grandes sociétés très riches. Et toutes les deux ont été des désastres sur le plan marketing.

Le gadin de WingspanBank. com

Le premier client était WingspanBank. com, lancé en juin 1999 avec un raz-de-marée de publicité en presse, radio et télé.

Pas de campagne de publicité, les avions-nous mis en garde, tant que vous n'aurez pas établi la crédibilité et la légitimité de la banque dans les médias. Peine perdue. Passant outre nos conseils, la banque a dépensé entre 100 à 150 millions de dollars pour lancer le site, si l'on en croit les comptes rendus de la presse à l'époque.

Idée peu brillante. S'il est un secteur qui a besoin de la confiance des consommateurs pour réussir, c'est bien celui des services financiers et de la banque. Un restaurant ou une teinturerie peut tenter sa chance, pas une banque.

« Bank One Corporation, reconnaissant que son service tant vanté de banque directe WingspanBank. com est un échec » pouvait-on lire dans le *Wall Street Journal*, « envisage de fusionner sa banque en ligne créée il y a seulement deux ans avec ses autres activités bancaires en ligne. »

Quel dommage. Il y a de la place sur le marché pour une nouvelle banque en ligne proposant des services moins chers et une épargne mieux rémunérée, mais ce n'est pas à coups de publicité qu'on réussira à installer une telle marque. Seules les relations publiques peuvent le permettre.

Le déclin de HomePortfolio. com

Le second client était HomePortfolio. com. Au bout d'une journée de consultation, dont notre recommandation habituelle de commencer par une campagne de RP, les deux fondateurs semblaient pressés de partir. Et bingo, quelques semaines plus tard, nous tombions sur de pleines pages de publicité en presse quotidienne et en presse magazine vantant les mérites du nouveau site.

Quinze mois plus tard, HomePortfolio cessa ses activités de détail et se transforma en fournisseur de logiciels pour le marché du meuble en ligne. Pas une mince affaire puisque HomePortfolio avait réussi à lever la somme rondelette de 50 millions de dollars.

Pour vous dire le fond de notre pensée, WingspanBank. com et HomePortfolio étaient toutes deux d'excellentes idées qui ont été massacrées par la pensée publicitaire dominante. En tant que consultants marketing, nous ne pouvons exposer ici nos recommandations mais soyez assurés que les relations publiques y figuraient en excellente place. Il faut remporter la bataille des RP avant de pouvoir lancer une guerre publicitaire.

Comment remporte-t-on la bataille des RP ?

En créant dans les esprits une nouvelle catégorie sur laquelle vous pouvez être le pionnier. Et en veillant à doter la nouvelle catégorie d'un facteur de motivation qui incitera les prospects à abandonner l'ancienne catégorie pour adopter la nouvelle.

Plus facile à dire qu'à faire. La science du marketing elle-même va à l'encontre de l'idée de création d'une nouvelle catégorie. La première question que vous pose un homme de marketing n'est-elle pas « Quelle est la taille du marché ? »

Pour une nouvelle catégorie, la taille du marché égale zéro.

L'effondrement de Garden. com

Prenons Garden. com, autre site Web qui fleurit, se fana et mourut à peu près au même moment que HomePortfolio. com. Quelle est donc la taille du marché du jardinage ?

Le jardinage, avons-nous découvert, est le passe-temps le plus populaire d'Amérique. Avec un chiffre d'affaires annuel de l'ordre de 47 milliards de dollars, le secteur est presque deux fois plus important que le commerce du livre. En s'assurant seulement cinq petits pour cent du marché du jardinage, Garden. com enregistrerait un chiffre d'affaires annuel de 2,3 milliards de dollars, supérieur à celui de l'activité livres d'Amazon. com.

Ces chiffres étant ce qu'ils sont, on ne s'étonnera pas que Garden. com ait attiré 106 millions de dollars de capital-risque. Pour rien. Zéro. Bernique. En novembre 2000, le site a fermé. Question sans réponse : Pourquoi acheter ses produits de jardinage sur Garden. com ?

Le discours dominant veut que ces sociétés Internet et nombre d'autres aient dû leur triste sort à des campagnes de publicité désastreuses. Mais cela n'a aucun sens. Pourquoi une agence de publicité irait-elle se dire : « C'est une dotcom, refilons-lui une pub idiote » ?

Un scénario plus vraisemblable est que la publicité pour les dotcoms n'a été ni pire ni meilleure que la publicité en général. Mais parce que les sociétés Internet étaient de nouvelles marques, la publicité était un vecteur de communication totalement inadapté.

Les dotcoms qui ont tiré leur épingle du jeu

Si beaucoup de sociétés Internet ont disparu, d'autres sont bien vivantes et prospèrent. Qu'ont donc en commun les sites qui ont tiré leur épingle du jeu ? D'avoir été les pionniers d'une nouvelle catégorie et d'avoir su identifier un puissant facteur de motivation, générant ainsi une couverture presse et un bouche à oreille aussi abondants que favorables.

- *America Online* n'a pas été le premier fournisseur d'accès Internet mais le premier à conquérir l'esprit du prospect, grâce à un généreux soutien des RP. En outre, le 1er décembre 1996, AOL a lancé un service forfaitaire, puissant facteur de motivation. (À l'origine, le service était facturé 19,95 dollars par mois. Aujourd'hui, l'abonné paye 23,90 dollars par mois.)
- *Amazon* n'a pas été non plus le premier libraire en ligne (c'était Powells. com) mais le premier aussi à conquérir l'esprit du prospect. Et le site avait la réduction de 30 % comme facteur de motivation.
- *Monster* n'a sans doute pas été le premier site de recherche d'emplois sur Internet mais il a été le premier à conquérir l'esprit du prospect. En outre, les 800 000 offres d'emplois référencées sur le site constituent un puissant facteur de motivation.
- *eBay* a été le premier site d'enchères en ligne. Avec 29 millions d'utilisateurs actifs et des millions d'articles proposés, l'attrait d'eBay réside dans sa taille et sa puissance.
- *Priceline* a été le premier site d'« enchères » de billets d'avions et de nuits d'hôtels. Son facteur de motivation tient aux économies importantes que peut réaliser le consommateur en achetant sur le site.
- *Travelocity* et *Expedia* n'ont pas été les premiers sites de voyage en ligne mais ils ont été les premiers à conquérir l'esprit du prospect. Leurs facteurs de motivation sont le prix et les comparaisons d'itinéraires proposés sur les sites.

Quelle est la taille du marché ? Ce n'est pas la meilleure question à se poser quand on cherche à devenir le pionnier d'une nouvelle catégorie.

La première question à se poser est : Quelle nouvelle catégorie pouvons-nous créer ? Cette nouvelle catégorie mérite-t-elle qu'on parle d'elle ? Et sur quelle corde faut-il jouer pour inciter le prospect à préférer cette nouvelle catégorie ?

Le problème, quand on s'adresse à un marché existant, c'est que le marché est déjà pris. Le marché du cola, le marché de la bière, le marché de la vodka sont tous des marchés gigantesques mais ils sont déjà revendiqués par des marques comme Coca-Cola, Budweiser et Smirnoff.

Trouvez une nouvelle catégorie sur laquelle être pionnier et un bénéfice-client puissant, et vous pouvez être sûr que la gente publicitaire montrera sans tarder le bout de son nez et vous proposera ses services. C'est alors le moment où jamais de vous souvenir du handicap majeur dont souffre la publicité.

8

Publicité et crédibilité

Le restaurant local qui affiche sur sa devanture « la meilleure cuisine » a un problème de crédibilité. La multinationale qui dépense 2 millions de dollars pour un spot pendant la retransmission du Super Bowl a exactement le même problème, même si elle refuse souvent de l'admettre.

Si l'outrance des accroches et le volume excessif de publicité sont en partie responsables du déclin de l'efficacité de la publicité, la vraie question qui se pose est celle de sa crédibilité. Aussi créative une publicité soit-elle, aussi adapté le support soit-il, la question de la crédibilité reste posée.

Un message publicitaire est perçu comme unilatéral, partisan, intéressé et centré sur l'entreprise et non sur le consommateur. Posez-vous la question : Est-ce que vous croyez ce que vous disent les publicités ? La plupart des gens n'y croient pas et en toute logique, ils ne lisent pas les publicités et n'accordent pas non plus beaucoup d'attention aux spots radio ou télé.

En fait, c'est encore pire. D'une certaine manière, tout message publicitaire sous-entend le contraire de ce qu'il affirme. Dans certaines situations, ce phénomène est tellement puissant que la campagne peut faire davantage de mal que de bien à l'annonceur.

Une société spécialisée dans les produits de la mer diffuse la publicité suivante : « Des tests prouvent que les produits Super Seafood sont sans danger pour la santé. » Que pensera le lecteur ?

« Des gens ont sûrement été malades en mangeant ces produits, autrement, la marque ne ferait pas ce genre de pub. »

Faire les choses comme il faut

« Faire ce qu'il faut et le faire bien. Vous avez notre parole. Quand vous achetez des pneus, vous n'achetez pas seulement du caoutchouc et de l'acier… vous voulez être sûr que vos pneus vous emmèneront là où vous voulez, en toute sécurité. Votre sécurité est notre première préoccupation. » C'est une publicité pour quelle marque ?

Ni Goodyear, ni Goodrich ni Michelin non plus. Ces marques n'ont pas besoin de faire de la publicité sur la qualité et la fiabilité de leurs pneus. Le public n'a aucune raison de croire que leurs pneus ne sont pas sûrs.

C'est à Firestone que l'on doit la campagne « Faire ce qu'il faut ». Mais naturellement, vous le saviez déjà parce que cette campagne a fait couler beaucoup d'encre.

« Firestone rappelle 6,5 millions de pneus à la suite d'un problème de chape », titra le *New York Times*. « Face à un bilan déjà lourd – 50 actions en justice, 46 morts et 80 blessés, et une enquête fédérale – le fabricant de pneus annonce qu'il remplacera gratuitement les 6,5 millions de pneus toujours en circulation. »

La naïveté des publicitaires semble sans limite. Après 50 procès, 46 morts, 80 blessés et une enquête fédérale, nous allons résoudre tous les problèmes de Firestone grâce à une campagne de pub qui dira aux gens de ne pas s'inquiéter parce que Firestone « fait ce qu'il faut » ?

La publicité Firestone sous-entend, naturellement, tout le contraire. « Il doit y avoir un problème avec la sécurité des pneus Firestone autrement ils ne feraient pas une campagne de pub qui leur coûte des millions de dollars. »

La qualité est notre premier métier

Pendant plus de dix ans, Ford a claironné : « La qualité est notre premier métier. » Les consommateurs pensent-ils que Ford fabrique des véhicules de meilleure qualité que ses concurrents ? Les études montrent que non. Ford figure au dernier rang des grands constructeurs automobiles en termes de qualité perçue.

Si l'on en croit le dernier sondage J.D. Power & Associates, sur 14 catégories différentes de voitures et de camions, pas une seule marque du groupe Ford ne figure dans le peloton de tête pour la « qualité initiale ». Dans la même enquête, la marque Ford est créditée de notes inférieures à la moyenne en matière de « service au client ». Et la marque ne figure pas non plus dans le top 10 sur le critère de « satisfaction commerciale ».

Le message (la qualité) est peut-être bon, mais le messager (la publicité) est mauvais. La publicité n'a pas de crédibilité. Les consommateurs n'ont pas confiance en la publicité parce qu'ils pensent qu'elle est biaisée. La publicité, c'est la voix de son maître. Aux yeux de l'acheteur potentiel, la publicité n'est pas objective. Le consommateur n'a aucun moyen de vérifier la pertinence de ce qu'affirme une publicité.

Les publicitaires nous ont matraqués de tellement de slogans abracadabrants que pour la plupart des gens, la publicité c'est « du vent ». Et lorsque des sociétés sont assignées en justice pour publicité outrancière ou mensongère, l'argument le plus courant de la défense consiste à invoquer « l'exagération publicitaire normale ».

Votre sécurité est notre première priorité

Lorsque Ford fut confronté à un problème de train sur son modèle Explorer, le constructeur fit preuve de la même naïveté que Firestone. La société diffusa une publicité qui disait : « Votre sécurité est notre première priorité. Je vous assure personnellement que tout le monde sera sur le pont chez Ford jusqu'à ce que tous les pneus défectueux aient été remplacés. » Les publicités étaient signées par Jacques Nasser, président et PDG de Ford Motor Company. (M. Nasser lui-même a récemment été remplacé.)

Qu'auraient dû faire Ford et Firestone ?

Rien. Leur seul espoir est que les consommateurs finissent par oublier. Et ils oublieront, si Firestone attend le temps qu'il faut. Le temps guérit toutes les blessures. Faire de la pub dans de telles situations, c'est mettre de l'huile sur le feu. Cela aggrave les choses en rappelant aux consommateurs que la société a des problèmes de sécurité.

Quand une compagnie aérienne perd un appareil, elle arrête immédiatement toute publicité, en général pendant un mois au moins. Elle fait tout sauf lancer une campagne sur le thème : « Nous redoublons nos efforts de maintenance. »

Tout… et son contraire

Les PDG mais aussi les gens célèbres, les acteurs et les politiciens négligent souvent de considérer les implications de ce qu'ils disent. Lorsque Richard Nixon, le seul président de l'histoire des États-Unis à avoir démissionné, déclara : « Je ne démissionnerai pas », tout le monde en Amérique savait qu'il allait démissionner.

Et que pensez-vous que les gens se sont dit quand Nixon a déclaré : « Je ne suis pas un escroc » ? Exactement.

Et que pensez-vous que les gens se sont dit quand George Bush père a déclaré : « Je vous le jure, pas de nouveaux impôts » ? Exactement.

Et que pensez-vous que les gens se sont dit quand Bill Clinton a déclaré : « Je n'ai pas eu de relations sexuelles avec cette femme… Monica Lewinsky » ? Exactement.

Et que pensez-vous que le monde des affaires s'est dit quand le président argentin Fernando de la Rua a affirmé au monde que l'Argentine honorerait ses dettes ? Exactement. (Et ils avaient raison.)

Qu'implique le fait de lancer une campagne de pub qui claironne : « Soldes monstres. Tout à moitié prix » ?

Exactement. Les consommateurs pensent que vous les escroquez parce que vous pratiquez d'ordinaire des prix bien trop élevés.

Des effets de la publicité

Quelles sont les implications de la diffusion d'une campagne de pub qui vous promet des réductions substantielles si vous réservez votre billet quinze jours à l'avance et si votre séjour inclut la nuit du samedi ?

Exactement. Les gens pensent que les compagnies aériennes escroquent leurs clients en leur faisant payer un tarif normal bien trop élevé.

Que pensez-vous que les acheteurs de voiture se sont dit quand Oldsmobile a lancé sa campagne sur le thème « Ce n'est pas l'Oldsmobile de votre père » ?

Exactement. La marque ne dirait pas ça si les vieux ne conduisaient pas des Oldsmobile. « Je ne veux pas la même voiture que mon père. » Les ventes ont chuté de 15 %.

La campagne Oldsmobile possédait tout ce qu'une bonne campagne de pub doit posséder. Elle a été un succès créatif, a beaucoup fait parler d'elle, est entrée dans la culture populaire. Un parcours sans faute, sauf pour ce qui est de vendre des voitures.

Que pensez-vous du roi Fahd d'Arabie ? Les Saoudiens ont dépensé des millions dans une campagne de publicité destinée à améliorer sa réputation et son image, dont douze pleines pages de publicité quadri dans des hebdomadaires.

Message signé George Bush père : « Un souverain extraordinairement coopératif et déterminé, un homme aux principes élevés. C'est un homme merveilleux. Je le connais bien. Et je le respecte. »

Que pensez-vous du roi Fahd ? La plupart des gens pensent que c'est un dictateur à la tête d'un état totalitaire. Les douze pages de pub changeront-elles cette perception ? Qu'il nous soit permis d'en douter.

Que se passe-t-il lorsque vous rencontrez un ami que vous n'avez pas vu depuis quinze ans et qu'il vous dit : « Tu as l'air en pleine forme » ?

Exactement. Vous vous dites que vous devez avoir une mine épouvantable.

Et selon vous, qu'ont pensé les dirigeants et chefs d'entreprise lorsque le président de l'American Association of Advertising Agencies a dit : « De plus en plus d'annonceurs ne croient plus en l'un des principes fondamentaux de notre métier : faire de bonnes campagnes de publicité, augmenter les ventes, construire des marques meilleures, faire plus de bénéfices. »

Exactement. La pub doit être dans le pétrin.

Et le président de l'AAAA d'ajouter : « On ne considère pas la publicité pour ce que je pense qu'elle est : l'outil le plus puissant pour générer une croissance profitable des ventes et accroître la valeur de la marque, et, partant, augmenter considérablement la rentabilité du client. »

Croyez-moi : la publicité est l'outil le plus puissant pour générer une croissance profitable des ventes et accroître la valeur de la marque.

Exactement. La pub doit être dans un sacré pétrin.

Lorsque les publicitaires vantent la valeur de la publicité, ils tombent dans le même piège que celui dans lequel s'est enlisée la publicité. Leurs mots disent tout le contraire de ce qu'ils veulent dire.

« La publicité va mal. Nous devons convaincre nos clients que la publicité est toujours le moyen le plus puissant de faire vivre leurs marques. »

Mais la publicité n'est plus en odeur de sainteté dans les conseils d'administration des entreprises américaines. Raison pour laquelle, précisément, les dirigeants de l'AAAA font des discours sur le sujet et l'American Advertising Federation orchestre sa campagne des « grandes marques ».

Quand la pub fait sa pub, c'est qu'elle va mal. Les spots télévisés pour Nextel qui mettent en scène l'acteur Dennis Franz, alias l'inspecteur Andy Sipowicz dans la série *NYPD Blues*, en constituent un bon exemple.

« Je ne fais pas de pubs », braille M. Franz dans son téléphone Nextel. « Elles sont malhonnêtes. Mensongères. Et je serais censé faire l'article d'un produit que je n'utilise même pas ? Hors de question. Je refuse. » (La seule indication qu'il s'agit d'une publicité pour Nextel est un écran de télévision sur lequel on voit en arrière-plan un spot pour Nextel.)

Autre signe qui ne trompe pas, l'érosion des budgets publicitaires au profit des activités promotionnelles (tant en *B to C* qu'en *B to B*). Dans le secteur des produits emballés, bastion historique de la publicité, la part de la publicité dans le budget marketing est passée de 60 % en 1977 à environ 30 % aujourd'hui.

D'où la nécessité de trouver des supports alternatifs.

9

La recherche de supports alternatifs

Autre signe que la publicité traditionnelle est en perte de vitesse, l'intérêt accru que marquent de plus en plus d'entreprises pour des supports alternatifs. Les clients commencent à voir le monde autrement que par le petit bout des médias traditionnels que sont la presse, la télévision et la radio et rivalisent d'originalité pour dépenser leurs budgets de communication.

Très en vogue à l'heure actuelle, les petits dirigeables. Goodyear et MetLife, pionniers dans l'utilisation de ce nouveau support, ont fait de nombreux émules : Accenture, Budweiser, CDW Computer Centers, Horizon Blue, Cross/Blue Shield, Hood, Monster. com, Izod, Mazda et Sanyo pour ne citer que quelques marques.

Pour environ 3 millions de dollars par an, votre entreprise peut s'offrir un panneau d'affichage aérien. Les dirigeables publicitaires ne sont pas un phénomène cantonné aux États-Unis. Des sociétés du monde entier les ont adoptés : Fagor en Espagne, Liebherr en Allemagne ou encore StarHub à Singapour.

Et si faire voler un dirigeable à vos couleurs au-dessus d'un stade ne vous suffit pas, vous avez également la possibilité d'afficher votre nom sur le stade lui-même. En voici quelques exemples, chiffres, noms d'équipes et durées des contrats à l'appui :

- Adelphia Coliseum, Tennessee Titans, 15 ans, 30 millions de dollars
- CMGI Field, New England Patriots, 15 ans, 115 millions de dollars
- Compaq Center, San Jose Sharks, 15 ans, 49 millions de dollars
- Enron Field, Houston Astros, 30 ans, 100 millions de dollars (les Astros ont récemment payé 2,1 millions de dollars pour annuler le contrat.)
- Ericsson Stadium, Carolina Panthers, 10 ans, 20 millions de dollars
- FedEx Field, Washington Redskins, 20 ans, 205 millions de dollars
- Heinz Field, Pittsburgh Steelers, 20 ans, 457 millions de dollars
- Invesco Field, Denver Broncos, 20 ans, 120 millions de dollars
- MCI Center, Washington Wizards, 20 ans, 44 millions de dollars
- Pacific Bell Park, San Francisco Giants, 24 ans, 50 millions de dollars
- Philips Arena, Atlanta Hawks, 20 ans, 200 millions de dollars
- PSINet Stadium, Baltimore Ravens, 20 ans, 105 millions de dollars (quand PSINet a fait faillite, les Ravens ont racheté les droits du nom pour 5,9 millions de dollars.)
- Qualcomm Stadium, San Diego Chargers, 20 ans, 18 millions de dollars
- Reliant Stadium, Houston Texans, 30 ans, 300 millions de dollars
- Safeco Field, Seattle Mariners, 20 ans, 80 millions de dollars
- Savvis Center, St. Louis Blues, 20 ans, 72 millions de dollars
- Staples Center, LA Lakers, 20 ans, 100 millions de dollars

Si vous ne voulez pas acheter tout le stade, vous pouvez, pour une somme conséquente, associer le nom de votre entreprise aux rencontres sportives. Existent à l'heure actuelle, parmi d'autres : Axa Liberty Bowl, Capital One Citrus Bowl, Chick-fil-A Peach Bowl, Culligan Holiday Bowl, FedEx Orange Bowl, SBC Cotton Bowl, Tostitos Fiesta Bowl, etc., etc.

En toute logique, l'étape suivante consiste à donner son nom à l'équipe. Federal Express aurait, dit-on, proposé 120 millions de dollars pour baptiser la nouvelle équipe de basket de sa ville natale les Memphis Express. Evidemment, la société voulait habiller l'équipe aux couleurs de FedEx, orange et violet. La NBA a refusé mais un jour viendra où les maillots des joueurs arboreront des noms de sociétés. Pour la petite histoire, la première franchise de la NBA, celle de Fort Wayne, fut baptisée les Pistons d'après la société Zollner Piston.

Il y aussi les « médecins du sport ». Certains groupes pharmaceutiques payent jusqu'à 1,5 million de dollars pour être le sponsor santé d'une équipe de base-ball de première division. Cette pratique concerne d'ores et déjà 25 clubs. Dont cinq sont des contrats exclusifs.

Les sports collectifs semblent prendre le même chemin que les sports individuels comme la course automobile. Dans le Nascar, pilotes et voitures sont devenus de véritables enseignes publicitaires. Une voiture de course arborera ainsi facilement jusqu'à 20 logos de sponsors. Et la première chose que fait un pilote quand il gagne une course est de s'emparer de la boisson du sponsor, des lunettes de soleil du sponsor et de la casquette du sponsor avant de descendre de voiture.

Dans le futur, la publicité envahira aussi les routes et les voitures de monsieur et madame tout le monde. Une nouvelle technique baptisée l'emballage de voiture permet d'apposer une pub en vinyle coloré sur n'importe quelle voiture. Des annonceurs comme General Mills et Procter & Gamble versent quelque 250 dollars par mois à des consommateurs lambda pour circuler dans des voitures à leurs couleurs.

Où que l'on roule aujourd'hui, on n'échappe pas aux griffes de la publicité. De plus en plus de pompes à essence et de distributeurs automatiques de billets affichent des messages publicitaires.

Et même le centre commercial du coin est peut-être disponible pour une opération de sponsoring. Discover Mills, un nouveau centre commercial dans la banlieue d'Atlanta, est sponsorisé par les cartes de crédit Discover.

N'oublions pas, au rang des nouveaux supports, la publicité « en tunnel », phénomène aussi excentrique que dynamique apparu en Europe. Adidas et Coca-Cola ont acheté des espaces publicitaires dans les métros de Budapest et d'Athènes auprès de la société anglaise MotionPoster. La société dispose de contrats pour installer des systèmes « en tunnel » à Francfort, Munich et Séoul.

La publicité en tunnel utilise une série d'enseignes lumineuses qui, lorsqu'on les voit depuis une rame qui roule, donnent l'impression d'être animées. L'effet, similaire à celui d'un *flip-book*, n'est pas très éloigné de celui d'un spot télé de 30 secondes.

On n'échappe pas à la publicité

Nous sommes bombardés de messages publicitaires partout où nous allons. Il y a de la pub dans les avions. Les programmes de télévision diffusés pendant les vols sont bourrés de pub. Même les pochettes des billets d'avion contiennent des messages publicitaires. La pochette d'AirTran, par exemple, compte neuf pages de pub. Monster. com a même gravé son logo dans un champ situé sous la ligne d'approche de l'aéroport O'Hare de Chicago.

Il y a de la pub dans les supermarchés. Outre les rayons, les affiches et les distributeurs de coupons, on trouve souvent de la publicité au dos des tickets de caisse.

Il y a de la pub dans les ascenseurs. De plus en plus de grands immeubles de bureaux remplacent la traditionnelle – et fort peu rentable – musique d'ambiance par des vidéos publicitaires bien plus juteuses.

Il y a de la pub dans les toilettes. Nombre de clubs et de restaurants mettent des pubs sur la face intérieure de la porte des toilettes. Au California State Fair, Procter & Gamble « encharme » les toilettes pour démontrer les bénéfices tangibles de ses papiers toilette.

Il y a de la pub sur la plage. Une société du New Jersey, Beach'n Billboard, se charge d'imprimer votre pub sur le sable. Pour 20 000 dollars, vous avez un peu moins d'un kilomètre de pubs sur le sable tous les jours pendant un mois.

Demain, il y aura peut-être même de la pub dans les livres. Le joaillier italien Bulgari a ainsi commandé à l'auteur à succès Fay Weldon un roman intitulé *The Bulgari Connection*. Sur la couverture, une photo d'un collier Bulgari qui joue un rôle-clé dans l'intrigue.

« La publicité dite d'ambiance explose, lit-on dans le magazine *Time*, à l'heure où les annonceurs snobent les médias traditionnels pour essayer de toucher des consommateurs blasés là où ils travaillent, font leurs courses et se divertissent. »

Les annonceurs tiennent la vedette dans de nouvelles émissions télévisées, peignent leurs messages sur les barrières en béton des parkings et cherchent à obtenir l'autorisation d'insérer des produits électroniquement dans des rediffusions télé comme c'est déjà pratique courante dans les retransmissions de matches de base-ball. Ils payent également pour que leurs produits figurent dans des films.

Pour la modique somme de 4 millions de dollars, Honda sponsorise *Pulse : A Stomp Odyssey*, un long métrage tourné pour les cinémas Imax. Le laboratoire Pfizer sponsorise également un film Imax sous les couleurs de sa marque Certs.

Pourquoi cette frénésie de médias alternatifs ? Tout bonnement parce que la publicité traditionnelle ne marche pas très bien. Si c'était le cas, on ne verrait pas de pubs sur des dirigeables, sur la plage, dans les toilettes et dans les livres.

Il ne suffit pas d'avoir un meilleur produit ou un meilleur service. Pour réussir aujourd'hui, il faut créer une meilleure marque. Et qu'est-ce qu'une marque ? Une marque est une perception dans l'esprit du prospect.

La perception, tout est là ; et la publicité est perçue comme le seul moyen de créer une meilleure perception. Ce n'est pas vrai, mais c'est comme ça que la pub est perçue.

Il existe une meilleure alternative

Et cette meilleure alternative, c'est de faire parler de soi ; à savoir, les relations publiques, ou RP.

Quel que soit le nom qu'on donne à la fonction, l'objectif est le même. Raconter votre histoire de manière indirecte par le biais de tierces parties ou relais d'opinion, essentiellement les médias.

Les RP présentent de nombreux inconvénients. On ne contrôle ni le contenu, ni le moment de diffusion ni l'apparence visuelle du message. On ne peut même pas être sûr que le message sera effectivement diffusé.

Mais un avantage des RP compense tous les inconvénients. Les relations publiques sont crédibles, la publicité ne l'est pas. Les gens croient ce qu'ils lisent dans les journaux ou les magazines, ce qu'ils entendent à la radio ou ce qu'ils voient à la télévision.

Les consommateurs sont cyniques, méfiants et prudents. Le volume de publicité allant toujours croissant, ils se tournent vers des tierces parties indépendantes, des sources dignes de confiance pour obtenir des recommandations et des conseils. Amis, famille, voisins, et, naturellement, les médias dans toute leur diversité.

Les pubs, c'est plus rare.

Deuxième partie

L'irrésistible ascension des RP

10

Le pouvoir d'une voix indépendante

« Tout ce que je sais, aime à dire l'humoriste Will Rogers, je l'ai appris dans les journaux. » C'est vrai. Tout ce que la plupart des gens savent, c'est ce qu'ils lisent, voient ou entendent dans les médias ou ce que leur apprennent des personnes en qui ils ont confiance.

La vie n'est pas simple. Comment trouver le temps de vérifier par soi-même la qualité ou les caractéristiques des dizaines de produits ou de services que l'on peut avoir envie d'acheter ? Nous nous laissons guider par les médias.

Qui fabrique les « meilleures » voitures ? Si vous posez cette question au consommateur moyen, on vous répondra souvent que c'est Mercedez-Benz. Demandez-lui ensuite : Vous avez une Mercedes ? Non. Vous en avez déjà conduit une ? Non. Vous connaissez quelqu'un qui en a une ? Non.

Dès lors, comment savez-vous qui fabrique les meilleures voitures ? Il faut être humoriste et s'appeler Will Rogers ou Jerry Seinfeld pour clamer l'évidence. « Tout ce que je sais, je l'ai lu dans les journaux. »

La plupart des gens déterminent ce qui est bien (bon, etc.) en cherchant à savoir ce que d'autres trouvent bien, bon, etc. Et les deux sources principales pour se faire son idée sont les médias d'une part et le bouche à oreille d'autre part.

On ne peut vivre dans un monde moderne en se contentant d'observer la réalité par ses propres yeux et ses propres oreilles. Nous devons nous en remettre aux oreilles et aux yeux des sources-relais qui se tiennent entre nous et la réalité. Les médias sont les intermédiaires vitaux qui alimentent en sens la vie de la plupart des individus.

Sans les informations fournies par les médias, il est tout bonnement impossible de participer à la vie économique ou politique d'une société capitaliste. Et nous avons beau ne pas croire tout ce que nous lisons dans les journaux, l'influence des médias sur chacun d'entre nous est considérable.

Comparativement au pouvoir de la presse, la publicité n'a quasiment aucune crédibilité. Admettons que vous ayez à choisir entre les deux options suivantes : faire de la pub dans notre magazine ou notre journal ou nous accorder une interview pour que nous écrivions un article sur vous. Combien de sociétés iraient préférer une pub à un article ?

Aucune. La publicité est dénuée de crédibilité.

Certaines sociétés se sont même mises à diffuser des publicités qui ressemblent à des articles de presse. Mais cette tactique subversive est bien vite bloquée par les éditeurs qui marquent la page au fer rouge du « publi-rédactionnel ». Cette seule mention réduit considérablement le nombre de lecteurs du message ainsi que la crédibilité de celui-ci.

En toute honnêteté, comment lisez-vous la presse ou regardez-vous la télévision ? Est-ce que vous ne faites pas la différence entre le contenu éditorial et la publicité ? Est-ce que vous ne regardez pas seulement les pubs que vous trouvez très intéressantes ou très drôles ? Et même dans ce cas, ne portez-vous pas un regard pour le moins sceptique sur le message de l'annonceur ?

Un quotidien accueille en moyenne 30 % de contenu éditorial et 70 % de publicité. Que passez-vous le plus de temps à lire ? Pour le commun des mortels, les articles sont des îlots d'objectivité dans un océan de préjugés.

Le vilain petit secret de la publicité

Regis McKenna, le célèbre consultant en marketing, écrivait déjà il y a plus de dix ans dans la *Harvard Business Review* : « Nous vivons les derniers jours de la publicité… D'une part, les excès de la publicité sont en train de se retourner contre elle… Le deuxième aspect du déclin de la publicité découle du premier : la publicité proliférant et se faisant de plus en plus envahissante, les consommateurs en ont eu assez. Plus la publicité cherche à s'introduire dans leur vie, plus les gens essayent de la chasser… Pourquoi ? Parce que le vilain petit secret de la publicité, c'est qu'elle ne sert aucun but utile. »

Microsoft, dit-on, aurait dépensé 1 milliard de dollars en publicité pour le lancement de son nouveau système d'exploitation Windows XP. Mais qu'est-ce qui motivera les prospects à passer de Windows 98, Windows ME ou Windows 2000 à Windows XP ? Certainement pas ce qu'ils auront lu dans les publicités. Pour prendre leur décision, ils se baseront sur les milliers d'articles et de reportages qu'auront consacrés les médias à Windows XP.

« Avec Oracle, lit-on sur une pleine page de publicité dans le *Wall Street Journal*, votre Web tournera trois fois plus vite qu'avec IBM ou Microsoft. » À votre avis, qu'a bien pu penser le lecteur moyen en lisant ce message d'Oracle ?

« Y'a sûrement un truc. » Et à votre avis, qu'a bien pu penser le lecteur moyen quand la pub pour Oracle a rajouté : « Sinon, nous vous donnons 1 million de dollars. » ?

« Maintenant, j'en suis sûr, y'a un truc. Larry Ellison ne lâcherait pas 1 million de dollars comme ça, sauf peut-être pour lui. »

Admettons que la pub dise vrai. Qu'Oracle fasse tourner votre Web trois fois plus vite qu'IBM ou Microsoft et qu'il n'y ait pas de truc. Croiriez-vous pour autant la pub Oracle ?

Lorsqu'ils évaluent ce type de messages publicitaires, les lecteurs cherchent la faille, le point faible. Et la faille ultime, c'est toujours : « Comment se fait-il que je n'ai rien vu là-dessus dans les journaux ? Quelqu'un aurait sûrement écrit un article si la promesse et l'offre d'Oracle étaient vraiment fondées. »

Pour qu'une annonce presse ou un spot télé ou radio soient efficaces, il faut en général qu'ils bénéficient d'une validation extérieure, de témoignages favorables de tiers. Le message doit être un message dont le prospect a déjà entendu parler dans le support en question.

Faites ce que je dis, pas ce que je fais

Comble de l'ironie, les agences de publicités américaines, hérauts du « la publicité construit les marques », ne font quasiment pas de pub. Et non, c'est sur les RP qu'elles s'appuient pour établir la notoriété de leurs propres marques. Elles inondent la presse spécialisée, et en particulier *Advertising Age* et *Adweek*, d'échantillons de leur travail. Pas de récompense, même la plus triviale, qui ne soit reprise par la presse.

Nous avons passé au crible cinq numéros consécutifs de *Advertising Age* et, à l'exception de quelques offres d'emplois, nous n'y avons trouvé aucune pub pour une agence de pub.

Pour les publicitaires, Charité bien ordonnée ne commencerait donc plus par soi-même. Ils vendent de la publicité aux autres mais n'achètent pas d'espace publicitaire pour eux.

Outre la presse professionnelle, les agences de pub font des pieds et des mains pour avoir les honneurs des cinq grands quotidiens américains : le *Wall Street Journal*, le *New York Times*, *USA Today*, le *Los Angeles Times* et le *Chicago Tribune*. Faire parler de soi dans la presse, voilà ce qui compte aujourd'hui pour une agence de pub.

Comment peut-on croire à la publicité pour les autres quand on n'y croit pas pour soi ? La pub : c'est comme ça que les grandes marques deviennent de grandes marques, sauf pour les marques d'agences de publicité.

Et si les entreprises de prestations intellectuelles comme les agences de publicité n'avaient pas besoin de faire de publicité ? Leur réputation, qui sait, suffit peut-être à leur attirer à toutes le chiffre d'affaires dont elles ont besoin. Peut-être. Reste que les agences de pub n'ont aucun état d'âme à recommander des budgets publicitaires colossaux à des firmes de conseil comme PriceWaterhouseCoopers, KPMG, Deloitte & Touche, Ernst & Young et Arthur Andersen.

(La campagne de publicité lancée par Arthur Andersen sauvera-t-elle l'entreprise ? N'y comptez pas trop.)

Faire de la pub pour faire parler de soi

De nombreuses agences élaborent aussi pour leurs clients des campagnes dont le seul but est de faire parler d'elles, pas de vendre quoi que ce soit. Le meilleur exemple en est sans doute la publicité « 1984 » de Macintosh qui n'a été diffusée qu'une seule fois pendant la retransmission du Super Bowl de 1984.

Soyez franc. Si vous aviez vu cette pub (une parmi les 237 messages qui vous ont agressé ce dimanche-là), vous en seriez-vous souvenu le lendemain ? Une semaine après ? Un an après ?

Si les gens se souviennent aujourd'hui de ce spot télé, c'est grâce aux nombreux articles et commentaires dont il a fait l'objet dans les médias. Ce sont les RP qui ont rendu cette publicité mémorable. Sans elles, la pub Macintosh n'aurait été qu'une pub parmi d'autres.

(Soit dit en passant, si la pub Macintosh a été aussi efficace, comment se fait-il que la marque Macintosh ne figure pas parmi les leaders du secteur, les Dell, Compaq, Hewlett-Packard et autres IBM ?)

Les agences aiment les publicités qui font parler d'elles parce que cette « publicité » bénéficie autant à l'agence qu'à son client. Dans de nombreuses agences, les pubs ne sont que des crochets auxquels accrocher des campagnes de RP.

La campagne qui a fait couler le plus d'encre de tous les temps – chef d'œuvre involontaire de RP – est peut-être la campagne Pepsi-Cola de 1984 avec Michael Jackson. Pepsi a eu la chance que les cheveux de la star prennent feu pendant le tournage de l'une de ses pubs. La presse s'est déchaînée. La « publicité » provoquée par l'incendie a rapporté davantage à Pepsi que n'importe quel spot télé.

Trois ans plus tard, Coca-Cola a sorti de sa manche le héros de la série télévisée du même nom Max Headroom, qui est devenu pour quelque temps une petite célébrité ayant les honneurs de la couverture de *Newsweek* et d'autres médias.

L'industrie de la publicité a désormais largement renoncé à ce que l'on a appelé « l'art de la vente sur papier ». L'idée était que les annonces presse et autres spots télé étaient des vendeurs de remplacement expliquant aux prospects les caractéristiques et les avantages de la marque. On ne peut le lui reprocher. La publicité jouit aujourd'hui de si peu de crédibilité qu'elle n'est tout bonnement plus un vendeur performant.

Ce qui a remplacé l'art de vendre, ce sont les objectifs jumeaux de valeur mondaine/valeur bla-bla. Les agences cherchent à créer des campagnes qui mettent le feu à la fois au bouche à oreille et au bouche à médias. Et leur arme préférée pour y réussir est la valeur choc.

La thérapie de choc en action

Si les gens refusent de s'intéresser aux avantages attachés à l'achat de la marque, raisonnent les publicitaires, la seule chose à faire est d'avoir recours au traitement de choc. Animaux, célébrités, nudité à peine voilée, allusions sexuelles, violence, tout pour retenir l'attention du spectateur en général et des éditorialistes publicitaires en particulier, tels Stuart Elliott au *New York Times* et Bob Garfield chez *Advertising Age*.

Personne n'a mieux joué à ce jeu-là que la marque italienne de vêtements Benetton. Un prêtre embrassant une nonne, un homme en train de mourir du Sida, un prisonnier dans le couloir de la mort, un étalon noir chevauchant une jument blanche, un nouveau-né avec son cordon ombilical… ce ne sont là que quelques-uns des visuels « coup de poing » que le public a pu découvrir sous la bannière United Colors of Benetton. Ces publicités ont valu au créateur de la campagne, Oliviero Toscanini, une célébrité mondiale. (Si Benetton a réussi sur les marchés européens, la société a été moins chanceuse aux États-Unis.)

Ce qui est dommage, c'est que Benetton a effectivement un concept qui mériterait d'être relayé en RP. La marque fabrique la plupart de ses vêtements dans des couleurs neutres qui peuvent ensuite être teintes rapidement pour répondre à la demande. (D'où la signature United Colors of Benetton.) Une campagne marketing centrée sur les RP aurait peut-être constitué un moyen plus efficace (et moins onéreux) d'installer la marque Benetton dans l'esprit des prospects.

Altoids, l'exception qui confirme la règle

Conservons, néanmoins, notre objectivité. Certains produits ne méritent pas vraiment que la presse s'y intéresse. Prenons les bonbons mentholés, par exemple. Le leader historique de la catégorie, Tic-Tac, s'est fait damer le pion par Altoids, « les bonbons à la menthe incroyablement forts ».

Une campagne marketing orientée RP aurait-elle pu accomplir le même travail ? Sans doute pas. Comment faire des RP autour d'une petite boîte de bonbons à la menthe à 2 dollars ? Altoids a choisi d'avoir recours à de l'échantillonnage et à de la publicité imprimée pour se faire connaître. Quelques-unes des accroches des pubs Altoids : « Les bonbons à la menthe qui dépottent », « Déconseillé aux langues sensibles », « Des bonbons à la menthe tellement forts qu'on les a mis dans une boîte en métal. »

Les campagnes Altoids, cela mérite d'être souligné, n'ont utilisé aucun des éléments désormais de rigueur sur Madison Avenue. Pas d'animaux, pas de stars, pas de corps nus, pas de sous-entendus sexuels. Altoids est tout simplement retourné aux fondamentaux de la pub : créer une nouvelle catégorie (la menthe forte) sur laquelle on peut être le premier. Et puis donner au prospect une raison (incroyablement forts) d'acheter le produit.

Bien que la marque Altoids ne se soit pas construite grâce aux RP, son succès n'a pas manqué d'attirer l'attention des médias. Le succès et le succès médiatiques sont si étroitement mêlés aujourd'hui que l'un va rarement sans l'autre.

Un rappel, pas le lever de rideau

Le lever de rideau d'une marque ne peut se faire sur une publicité. Car la publicité ne peut intervenir efficacement que comme rappel.

Non que cette fonction de rappel ne soit pas importante, mais seulement une fois que la marque aura établi sa crédibilité par d'autres moyens, les relations publiques en général. (Voir le Chapitre 21, Entretenir la marque.)

La publicité comme outil de construction de la marque est morte. Mais une seconde vie s'offre à elle comme outil d'entretien de la marque, après que celle-ci aura été bâtie grâce aux RP.

Ce qui crée et installe une marque dans l'esprit des prospects, ce sont les relations publiques.

11

Relations publiques et création de marque

Quelle est la société dont on parle le plus au monde ? Selon Carma, société d'analyse des médias, il s'agit de Microsoft.

Microsoft n'a que 27 ans et pourtant, Microsoft est aujourd'hui la deuxième marque la plus valorisée au monde, juste derrière Coca-Cola, pesant quelque 65 milliards de dollars selon l'évaluation d'Interbrand.

Un des mantras du marketing, répété jusqu'à plus soif par les gourous de la publicité, est que la publicité bâtit des marques fortes. Et que la grande publicité fait les grandes marques. Est-ce que la publicité a construit la marque Microsoft ?

Non, mille fois non. Si Microsoft n'avait pas fait paraître une seule annonce presse ni diffusé un seul spot publicitaire en 27 ans d'existence, le nom de Microsoft en aurait-il été moins connu et la marque moins valorisée ? Qu'il nous soit permis d'en douter.

La taille ne fait pas les marques

Vous vous dites peut-être que ce ne sont pas non plus les RP qui ont fait de la marque Microsoft ce qu'elle est aujourd'hui. Microsoft est une marque puissante parce Bill Gates a bâti une entreprise gigantesque et prospère qui s'appelle Microsoft. La puissance d'une entreprise – et de sa marque – réside-t-elle davantage dans sa taille que dans sa notoriété ?

Pas selon nous. Les noms de Cardinal Health, Delphi Automotive, Ingram Micro, Lehman Brothers Holdings, McKesson HBOC, Reliant Energy, Southern, Tosco, TIAA-CREF ou Utilicorp United vous disent-ils quelque chose ?

Toutes ces sociétés sont plus importantes que Microsoft mais aucune d'entre elles n'a bâti de marque qui arrive à la cheville de Microsoft. Prenez TIAA-CREF par exemple. L'année dernière, la société a enregistré un chiffre d'affaires de 38 milliards de dollars contre 23 milliards pour Microsoft. Mais Microsoft est une marque. TIAA-CREF est une plaisanterie.

Les RP font les marques

Des volumes considérables d'articles et de bouche à oreille ont bâti la marque Microsoft et sa notoriété. Nous sommes prêts à parier que vous vous souvenez très bien d'avoir lu des dizaines d'articles sur Microsoft et les produits de la société. Windows 95/98/NT/2000/XP, Word, Excel, PowerPoint, Xbox. Mais vous souvenez-vous d'une seule pub Microsoft ? Que disait l'accroche ? Quel était le message ? En particulier, que vous disait la publicité que vous ne sachiez déjà sur Microsoft ?

Et le lancement historique de la marque Windows 95, alors ? me direz-vous. Vous pensez vraiment que ce sont les 200 millions de dollars que Microsoft a investis en publicité et en promotion qui ont fait le succès de Windows 95 ? Ou les 8 millions de dollars que Microsoft a payés aux Rolling Stones pour utiliser leur tube *Start Me Up* dans ses spots télévisés ?

Et est-ce que c'est *Start Me Up* qui a poussé des centaines de personnes à faire la queue pendant des heures dans la rue en attendant l'ouverture exceptionnelle des magasins à minuit pour découvrir Windows 95 ? Non. Même sans publicité, Windows 95 aurait été un succès. C'est le caractère révolutionnaire du produit, les centaines d'articles qui lui ont été consacrés et la conclusion des journalistes que Windows 95 allait révolutionner pour toujours l'informatique personnelle qui a propulsé Windows 95 vers le succès planétaire que nous connaissons.

Pour le lancement de Windows XP, Microsoft a payé une petite fortune à Madonna pour utiliser sa chanson *Ray of Light*. Mais le succès de Windows XP est entre les mains des médias, pas dans celles de Microsoft et de sa campagne de publicité. Les consommateurs seront influencés dans un sens ou dans un autre par ce que les médias diront du produit, pas par la voix mélodieuse de Madonna.

La publicité n'est plus pertinente pour bâtir des marques. Ce qui fait les marques, ce sont les commentaires des journalistes. Plus ces commentaires sont nombreux, plus ils sont favorables, plus la marque est forte.

Soulignons également que les médias ont fait de Bill Gates l'un des dirigeants les plus célèbres d'Amérique. Ce n'est clairement pas la publicité qui a érigé Bill Gates au rang de puissante marque individuelle.

Naissance d'une marque : Linux

Linux nous offre l'un des meilleurs exemples de la puissance des médias et du bouche à oreille pour bâtir des marques. Voilà une marque qui n'a jamais fait la moindre publicité pour la simple et bonne raison qu'elle n'appartient à personne. Linux est un logiciel libre, à la disposition gratuite de tous les programmeurs qui peuvent accéder au code source et le modifier en fonction de leurs besoins.

La marque Linux jouit d'un score de notoriété de près de 99 % auprès de la communauté high-tech et elle a rendu son créateur Linus Torvalds mondialement célèbre. Vous savez qu'une marque est devenue célèbre quand le directeur général (Steve Ballmer) de son principal concurrent (Microsoft) vilipende la marque en question comme « cancer qui gangrène tout ce qu'il touche à coups de propriété intellectuelle ».

(Toute marque a besoin d'un ennemi ; c'est l'une des constantes du marketing. Pepsi-Cola a Coca-Cola. Burger King a McDonald. Les Républicains ont les Démocrates.)

Un certain nombre d'organisations non gouvernementales ont réussi à bâtir de puissantes marques mondiales grâce aux seules techniques de relations publiques : Greenpeace, the World Wildlife Fund, PETA et Amnesty International notamment.

Naissance d'une marque : Segway

Est-il possible de devenir une marque connue en peu de temps sans publicité du tout ? Bien sûr. Le lancement du superscooter Segway illustre les ingrédients-clés d'un programme de construction de marque basé exclusivement sur les techniques de relations publiques.

Effet d'annonce et montée en régime progressive. Il est absolument essentiel de distiller des informations aux médias afin de susciter leur intérêt et d'entretenir le suspens autour du produit avant son lancement. Sous le nom de code « ginger », le superscooter Segway a fait l'objet de très nombreux articles et reportages dans les médias et sur Internet pendant près d'un an avant son lancement officiel en décembre 2001. L'engouement a commencé en janvier 2000 lorsque la presse a annoncé qu'un contrat de 250 000 dollars avait été signé par l'auteur d'un livre présentant sa nouvelle création, toujours tenue secrète. Des extraits du projet de livre, publiés sur Inside. com, n'ont fait qu'épaissir le mystère.

Un nom pour une nouvelle catégorie. Les médias ne s'intéressent qu'à ce qui est nouveau, pas à ce qui est mieux. L'une des décisions les plus importantes qui vous attend est le choix d'un nom pour votre nouvelle catégorie. Le Segway a été baptisé « *human transporter* ». Ce nom de catégorie ne prendra jamais. À l'exception des pipelines et des wagons de marchandises, tous les moyens de transport servent aux êtres humains. Le « gyro scooter » aurait constitué selon nous un meilleur nom.

Un nom pour la nouvelle marque. Quand il s'agit de choisir un nom, la plupart des entreprises commettent l'une ou l'autre de deux erreurs. Soit elles choisissent un nom d'extension de gamme (Kodak appareils numériques), ce qui réduit l'importance de la nouvelle catégorie ; soit elles choisissent un nom de marque générique (appareils photo Fun Saver), ce qui réduit l'importance de la marque. Segway n'est ni l'un ni l'autre. C'est un nom de marque à part entière. (Le superscooter Razor aurait été un nom d'extension de gamme. Gyro scooter aurait été un nom générique.)

Un porte-parole qui fait autorité. Dean Kamen, le cerveau qui a conçu le Segway, est un chercheur et un inventeur qui a de nombreux succès à son actif. On lui doit, entre autres, l'iBot, un fauteuil roulant tout-terrain qui peut monter des escaliers, le *stent* intervasculaire utilisé pour déboucher les artères (récemment utilisé dans l'opération du cœur de Dick Cheney), une machine à dialyse portable, et une pompe à infuser des médicaments.

Quand le Segway a enfin fait son apparition sur le marché, les médias se sont rués dessus. Le jour même du lancement, Dean Kamen a eu les honneurs de *Good Morning America* sur ABC, avant d'enchaîner interview sur interview. Le Segway a été accueilli sur CNN, *NBC Nightly News*, *CBS Evening News*, *ABC World News Tonight* et la plupart des chaînes d'information locales. Sur Internet, le Segway a bondi au quatrième rang des requêtes, juste derrière Noël, la Xbox et Harry Potter. Et il y a eu de longs articles sur le Segway dans quasiment tous les quotidiens du pays.

Segway et Microsoft appartiennent à l'univers des hautes technologies, penserez-vous peut-être. Qu'en est-il des autres produits ? Si la publicité ne construit pas les marques de hautes technologies, elle joue peut-être un rôle important pour aider les produits peu technologiques à se faire une place au soleil.

Naissance d'une marque : Red Bull

Red Bull est une marque dénuée de tout contenu technologique. Pionnière des boissons énergétiques, lancée en Autriche en 1987, Red Bull est un mélange à haute teneur en gaz carbonique et en caféine qui contient de généreuses quantités d'herbes, de complexes riches en vitamines B et d'acides aminés.

Sans publicité ou presque mais à grand renfort de RP et de merchandising, Red Bull est devenu un succès planétaire qui a fait de Dietrich Mateschitz, le fondateur de la société, l'homme le plus riche d'Autriche. L'année dernière, les ventes mondiales de Red Bull ont totalisé 895 millions de dollars.

Le battage médiatique autour de Red Bull a notamment été alimenté par le fait que la boisson était à l'origine interdite sur le marché allemand à cause de sa teneur élevée en certains ingrédients[1]. En conséquence de quoi, tous les jeunes Allemands voulaient l'essayer. (Aujourd'hui encore, certaines personnes sont persuadées que le Red Bull vendu en Allemagne n'est pas le véritable produit.)

Mateschitz s'est inspiré pour sa boisson du Krating Daeng, une boisson tonique à base de produits naturels qu'il avait découverte en Thaïlande. Ce qui prouve, une fois de plus, qu'il n'est pas nécessaire d'inventer quelque chose pour devenir riche et célèbre. Il suffit d'identifier une bonne idée potentielle, d'inventer une nouvelle catégorie et un nouveau nom de marque et de l'imposer en premier dans l'esprit des consommateurs.

Le succès de Red Bull a été un véritable camouflet pour les géants américains du *soft drink*. Pour contrer la menace autrichienne, les grands noms du secteur y sont tous allés de leur boisson énergétique. Adrenaline Rush, Anheuser-Busch's 180, AriZona Extreme Energy, Blue Ox, Bomba Energy, Dark Dog, Deezel, Energade, Energy Fuel, Go Fast, Go-Go Energy, Hansen's Energy, Hemp Soda, Hype, Jones Energy, Magic, NRG Plus, Power Horse USA, Red Alert, Rx Extreme et XTO, pour en citer quelques-unes.

Malgré ces hordes de concurrents, Red Bull règne aujourd'hui sur 70 % du marché américain des *energy drinks*. Et il est fort probable qu'il conservera cette position de leader encore longtemps.

Naissance d'une marque : Zara

La marque de mode qui connaît le développement le plus rapide du monde est Zara, l'enseigne espagnole de vêtements. Sauf pour ses soldes en magasin deux fois par an, Zara ne fait pas de publicité. Pourtant,

---

1. NdT : Aujourd'hui le Red Bull est toujours interdit en France.

Zara a réalisé l'année dernière un chiffre d'affaires de 1,2 milliard de dollars dans son réseau de plus de 500 magasins implantés dans 30 pays. (Zara ouvre en moyenne un nouveau magasin par semaine.) À ce jour, il existe seulement quelques magasins Zara aux États-Unis.

Tout comme Red Bull, Zara a commencé lentement. Il a fallu 30 ans à Inditex (société-mère de Zara) pour ouvrir sa première boutique Zara hors d'Espagne. Comme Red Bull, Zara dispose d'un concept unique. Zara a été la première chaîne de vêtements à adopter une stratégie en « juste à temps ». Là où il faut normalement neuf mois à une marque de mode pour passer du stylisme à la livraison des produits, Zara a raccourci le processus à 15 jours ou moins.

Qui plus est, les magasins Zara ont très peu de stocks, ce qui évite à la marque de devoir mettre en place les soldes massifs et réguliers dont sont coutumiers les grands magasins. Seuls de petits lots sont fabriqués. Si un article ne se vend pas, la production est arrêtée. Chaque semaine, 35 % des articles d'un magasin sont renouvelés.

Le concept révolutionnaire de Zara a valu à la marque une presse flatteuse et des clients fidèles. En moyenne, une cliente Zara se rend 17 fois par an dans un magasin Zara contre 3,5 fois pour les autres chaînes de vêtements. (Certaines Espagnoles n'achètent même plus de magazines de mode. Pour savoir ce qui se fait de nouveau, elles vont chez Zara.)

Amancio Ortega, l'entrepreneur très discret propriétaire de Zara (ainsi que d'autres concepts de distribution de détail tels Massimo Dutti, Pull & Bear, Bershka, Stradivarius et Oysho) serait l'homme le plus riche d'Espagne, pesant quelque 6,6 milliards de dollars.

La publicité n'est pas un substitut des RP

Le « roi des Colas » a récemment lancé sa boisson énergétique baptisée KMX, nom qui ne signifie ni ne représente rien de particulier. Fort du département marketing sophistiqué de Coca-Cola, de ses ressources publicitaires illimitées et de l'appui de certaines des agences de publicité les plus prestigieuses du monde, le KMX ravira-t-il à Red Bull sa place de leader du marché ? Non, évidemment.

Si la publicité était aussi puissante que ses partisans veulent bien nous le dire, KMX n'aurait aucun mal à l'emporter sur le blanc-bec autrichien. Mais il n'a aucune chance d'y parvenir, quelle que soit la créativité de ses messages ou la taille de son budget publicitaire.

Il y quelques années, Coca-Cola a déployé la même stratégie pour essayer de renverser Snapple, la marque qui a créé la catégorie des boissons naturelles avec très peu de publicité. Coca-Cola a dépensé des millions pour le lancement de Fruitopia aux États-Unis, une marque qui est partie en fumée avec quelques millions de dollars de Coca-Cola.

Connaissez-vous une marque leader sur un marché qui se soit fait ravir la première place par une meilleure campagne de pub ? Nous pas, à l'exception du cas Altoids déjà mentionné.

En dépit de tous les lauriers recueillis par ses campagnes de publicité (« Avis est le numéro deux de la location de voitures, alors pourquoi venir chez nous ? Parce que nous nous donnons plus de mal »), Avis a-t-il évincé Hertz de la place de leader de la location de voitures ? Non, évidemment.

En dépit de tous les prix remportés par les pubs Pepsi (« The Pesi Challenge », « The Pepsi Generation »), Pepsi a-t-il détroné Coca ? Non, évidemment.

En dépit de l'enthousiasme suscité par son petit lapin, Energizer a-t-il détrôné Duracell ? Non, évidemment.

Les agences de publicité considèrent souvent que le marketing est une guerre de publicités, plutôt qu'une guerre de produits. Lorsque l'agence Wells, Rich, Green a remporté le budget du cola Royal Crown il y a de cela plusieurs années, la fondatrice de l'agence Mary Wells Laurence a déclaré : « Nous allons tuer Coca et Pepsi. Si vous me permettez l'expression, nous allons les massacrer sur leurs points faibles. »

La seule marque qui se soit fait descendre, c'est Royal Crown. Sa part de marché est aujourd'hui la moitié de ce qu'elle était lorsque l'agence a eu le budget.

La publicité n'a pas de rôle légitime à jouer dans la création d'une marque. Le rôle de la publicité est, par nature, défensif : protéger une marque déjà établie.

Marques de livres

Vous connaissez un livre qui soit devenu un best-seller grâce à la publicité ? Les RP, en revanche, ont fait des succès de librairie. Et le bouche à oreille aussi, parfois. Mais la publicité, jamais.

Les best-sellers du moment, qu'il s'agisse de *Who Moved My Cheese ?* (Spencer Johnson), de *Ma Vie de patron* (Jack Welch) ou de la série des *Harry Potter* (J.K. Rowling), ont tous bénéficié d'une couverture médias considérable.

Aucun livre n'a fait couler autant d'encre que Harry Potter et les ventes sont à l'avenant. Aux États-Unis, le tirage total des aventures du jeune sorcier se monte à 65 millions d'exemplaires.

L'éditeur du livre de Jonathan Franzen, *Les Corrections*, par exemple, a réimprimé 500 000 exemplaires du livre après qu'Oprah Winfrey l'ait choisi pour son club du livre. Combien de spots télévisés en *prime-time* faudrait-il pour avoir le même effet qu'une recommandation de la présentatrice vedette ? La tête vous tourne…

Tous les livres ayant figuré dans le club du livre mensuel d'Oprah Winfrey ont également figuré dans la liste des meilleures ventes du *New York Times*. Il y a un an ou deux, 42 des 100 livres de la liste avaient été cités dans son émission ou leur auteur avait été interviewé par elle. Phillip McGraw (« Dr. Phil »), le spécialiste du comportement humain attaché à l'émission, a vu trois de ses livres, dont le dernier, *Self Matters*, caracoler en tête de la liste des meilleures ventes du *New York Times*.

Spencer Johnson, auteur de *Le Manager minute*, est un génie des RP. Avant que son dernier livre, *Who Moved My Cheese* ?, soit publié, Spencer Johnson a envoyé pendant plusieurs années des extraits du livre aux PDG des 500 sociétés du classement *Fortune* et à d'autres leaders d'opinion.

Les grosses entreprises ont été promptes à répondre à cette gentille attention. La Bank of Hawai a commandé 4 000 exemplaires du livre pour son personnel. Mercedes-Benz, 7 000 exemplaires. Southwest Airlines, 27 000 exemplaires. Un exemple classique de la technique de montée en régime progressive, essentielle à toute campagne de RP aujourd'hui.

« Le phénomène s'est construit très progressivement ; il a été exclusivement alimenté par du bouche à oreille, sans aucune campagne de publicité ou de marketing traditionnelle », souligne Spencer Johnson.

Lorsque Tony Soprano a dit à son psy, dans la série télévisée *Les Sopranos*, qu'il aimait *L'Art de la guerre*, de Sun-Tzu, le livre a grimpé à la sixième place de la liste des best-sellers de *USA Today*. L'éditeur a dû réimprimer 25 000 exemplaires du classique écrit il y a 2400 ans.

Marques de médicaments

Toutes les familles américaines ont une boîte de Cipro dans leur pharmacie depuis les attaques à l'anthrax et les dizaines d'articles et d'émissions télévisées qui ont entouré le phénomène. Et si les ventes de Viagra ont connu une croissance exponentielle, unique dans l'histoire du lancement de nouveaux médicaments, ce n'est pas grâce à la publicité mais bien grâce aux médias. Même chose pour les analgésiques tels le Vioxx, la Vicodine et l'OxyContin.

Viagra, le premier médicament contre les troubles de l'érection, ou l'impuissance. Prozac, le premier médicament contre la dépression. Valium, le premier médicament contre l'anxiété. Ces marques de médicaments, et bien d'autres, sont devenues célèbres en faisant deux choses exceptionnellement bien : (1) être la première dans une nouvelle catégorie ; (2) utiliser abondamment les médias.

Tout programme de relations publiques pour des médicaments vendus sur ordonnance requiert des actions très en amont du lancement du produit, des années avant parfois. Le Pleconaril, le premier médicament contre le rhume, a récemment fait l'objet d'une couverture média considérable. Même chose pour Xolair, le premier médicament vendu sur ordonnance pour bloquer l'IgE, l'élément chimique qui provoque des réactions allergiques dans les crises d'asthme.

Une fois qu'un médicament s'est imposé sur le marché grâce aux techniques de RP, il peut se tourner vers la publicité pour entretenir son succès. Les cinq médicaments ayant les budgets publicitaires les plus importants du secteur (Vioxx, Prilosec, Claritine, Paxil et Zocor) figurent déjà parmi les dix médicaments les plus vendus. Le rôle de la publicité pour les médicaments vendus sur ordonnance n'est pas de faire de ces médicaments des best-sellers mais bien de les maintenir au rang de best-sellers.

Les RP sont également un outil puissant au service des marques anciennes de médicaments qui se sont fait damer le pion par des marques plus récentes. Ainsi du succès de l'aspirine Bayer qui a récemment connu une seconde vie grâce à la promotion médiatique des bienfaits de l'aspirine en cas de crise cardiaque. L'aspirine bénéficie également de sa réputation de médicament permettant de prévenir les accidents cardiaques.

Marques de jouets

Il est difficile aujourd'hui de créer et de faire adopter par le marché une nouvelle marque de jouets sans relais d'opinion favorables. Mais si les médias sont avec vous, alors tous les espoirs sont permis. Les Cabbage Patch Kids, Furby, Teletubbies, Tortues Ninja, Mighty Moprhin'Power Ranger, Beanie Babies, Barney et autres Pokémon… tous ces jouets sans exception ont été portés au sommet par une vague de RP. Et que dire des nombreux articles et reportages qui sont toujours consacrés aux poupées Barbie, au Monopoly ou aux Lego, bien des années après leur création.

En 1996, la chroniqueuse Rosie O'Donnell a réussi le tour de force de créer à elle seule ou presque une véritable folie nationale pour Tickle Me Elmo en faisant la promotion du jouet (sans que le fabricant le lui demande et sans être payée) dans son émission à la télévision.

Tous les programmes de RP ou presque, les études le prouvent, connaissent leur « moment Rosie ». L'événement qui déclenche une déferlante d'articles de presse et de couverture médias. Il est impossible de planifier ces instants magiques mais il faut être prêt à y faire face lorsqu'ils surviennent.

Et il faut aussi être prêt à faire face à un trop grand succès médiatique.

Autrement dit, à faire la différence entre une tendance de fond et un simple phénomène de mode. Une marque qui décolle trop vite est souvent une marque qui retombe aussi vite. Ce sont des phénomènes de mode. Elles existent aujourd'hui et auront disparu demain.

Il en va tout autrement des tendances. Longues à naître et longues à disparaître. Sans jamais connaître l'explosion de popularité qui caractérise les simples phénomènes de mode.

Surtout, ne cherchez jamais à faire de votre marque un phénomène de mode. « Plus personne n'y va, pour reprendre l'expression de Yogi Berra, l'endroit avait beaucoup trop de succès. »

Qu'arrive-t-il aux phénomènes de mode ? Ils disparaissent aussi rapidement qu'ils ont surgi. En 1983, le fabricant de jouets Coleco Industries a lancé les Cabagge Patch Kids en s'appuyant sur une importante campagne de RP et quasiment pas de publicité. Au moment de Noël, les consommateurs se battaient dans les magasins pour acheter les poupées.

Comment a réagi Coleco ? Par une stratégie du « toujours plus ». Plus de production, plus de modèles, plus de points de distribution, plus de RP. En deux ans, les ventes des poupées atteignaient la barre des 600 millions de dollars.

Mais l'année d'après, les ventes de Cabbage Patch ont chuté à 250 millions de dollars. Et en 1988, Coleco Industries se mettait sous la protection du Chapter 11 de la loi sur les faillites.

Que s'est-il passé ? Coleco n'a pas respecté une règle fondamentale : contrôler les phénomènes de mode. On attise une fièvre mais on affame un phénomène de mode.

La chaîne de télévision ABC a commis la même erreur avec son émission à succès *Qui veut gagner des millions* (*Who Wants to Be a Millionnaire*). Moins de deux ans après que l'émission se soit imposée en tête des sondages Nielsen, le bruit court qu'elle pourrait être supprimée. En moyenne, ABC diffuse l'émission de Regis Philbin quatre fois par semaine. Le meilleur moyen de tuer une émission aussi populaire soit-elle. Une fois par semaine avec une interruption pendant l'été est amplement suffisant.

Les publicitaires se battent en permanence pour plus de publicité parce qu'ils veulent élever leurs messages « au-dessus du bruit ». En publicité, il n'y a sans doute jamais trop de publicité. Il en va très différemment des RP.

Un excès de RP peut s'avérer tout aussi préjudiciable qu'une insuffisance de RP. Pourquoi donc croyez-vous que Barbie et Mickey Mouse soient destinés à être avec nous pour toujours alors que les Cabagge Patch Kids et les Beanie Babies ont eu leur heure de gloire et sont condamnés à disparaître et à mourir ?

Au premier signe annonciateur d'un phénomène de mode, freinez des quatre fers. Réduisez la production, le nombre de points de vente et ne parlez plus aux médias. Votre objectif : étirer le rythme d'adoption de votre produit et transformer le phénomène de mode en tendance de fond. Mais l'appât du gain se met souvent en travers de ce chemin-là.

Prenez votre temps

La plupart des campagnes de RP, bien sûr, ne créent pas de phénomènes de mode. Estimez-vous donc heureux si vous créez une mini-tendance. Il faut parfois un certain temps avant d'arriver à mettre votre dossier de presse entre les bonnes mains. Quand nous avons voulu imposer le concept de « positionnement » auprès de la communauté marketing, nous avons commencé par un article dans le magazine *Industrial Marketing*, qui a été suivi d'un autre article dans la même publication plus de deux ans après. (*Industrial Marketing* s'appelle aujourd'hui *BtoB*.)

Une chose en entraîne une autre. Ces deux articles ont débouché sur un certain nombre de conférences sans que cela suffise, toutefois, à faire prendre le concept. Mais une conférence (devant le Sales Executives Club de New York) nous a valu d'être sollicités par Rance Crain pour écrire une série d'articles sur le positionnement dans *Advertising Age*.

Ces articles ont été notre moment magique. C'est cette série intitulée « L'ère du positionnement a sonné » qui a permis au concept de décoller.

Très peu de temps après, le *Wall Street Journal* a consacré un article en première page au sujet ; puis ce furent le *Los Angeles Times* et d'autres journaux et magazines du monde entier. Beaucoup de temps s'est écoulé entre la naissance du concept et sa diffusion, plus de trois ans.

L'approche un-deux-trois

Lorsque vous essayez d'imposer un concept, il est parfois intéressant d'avoir recours à l'approche un-deux-trois, où un et deux désignent des choses qui se sont déjà produites et trois renvoie au concept que vous voulez promouvoir. Pour établir notre concept de positionnement, nous avons utilisé les trois points suivants :

Dans les années 1950, la publicité était dans l'*ère du produit*. Tout ce dont on avait besoin, c'était d'un meilleur attrape-nigaud et d'un peu d'argent pour le promouvoir.

Dans les années 1960, la publicité est entrée dans l'*ère de l'image*. La réputation, ou l'image de l'entreprise, devient plus importante pour vendre un produit que toute caractéristique spécifique du produit.

Aujourd'hui, la publicité entre dans l'*ère du positionnement*. Pour réussir dans notre société noyée de messages, une entreprise doit créer un territoire dans l'esprit du prospect, un territoire qui prend en considération non seulement les forces et faiblesses de l'entreprise mais aussi celles de ses concurrents.

(Grâce à la presse, nous avons réussi à établir le territoire « positionnement » pour notre agence de publicité mais nous avons commis une grave erreur en ne franchissant pas l'étape suivante. Nous aurions dû capitaliser sur notre campagne RP et abandonner nos activités publicitaires pour focaliser nos prestations sur la stratégie – qui est au cœur du positionnement. Nous avons cependant fini par franchir le pas, avec des résultats plus que satisfaisants.)

Le lancement d'Advil en 1984 s'est appuyé sur la même approche un-deux-trois. La communication d'Advil montrait des images des trois principaux antalgiques du marché, puis associait à chacun la date de son lancement : aspirine, 1899 ; Tylenol, 1955 ; Advil, 1984. Pour renforcer l'idée qu'Advil était l'antalgique le plus récent (et vraisemblablement le plus efficace), la publicité était articulée autour du thème « advanced medicine for pain » (remède de pointe contre la douleur).

Le secteur des télécommunications, en particulier en Europe, a adopté une approche « générationnelle » de même type pour les téléphones mobiles. La première génération était analogique, la deuxième génération est numérique et la troisième génération sera celle des téléphones portables dotés d'un accès à Internet. Nous ne pensons pas que les téléphones portables de troisième génération feront un tabac mais l'attrait psychologique de ce concept de troisième génération est très puissant.

Un saut dans l'inconnu

Créer une nouvelle catégorie s'apparente à un bond dans l'inconnu, assorti de la conviction que des milliers de catégories encore inexplorées attendent « juste » d'être découvertes. Malheureusement, nombre de dirigeants et de managers ont renoncé à chercher de nouvelles catégories.

Ils préfèrent essayer de combiner des catégories existantes en produits mixtes. La télévision et les ordinateurs. Les téléphones et Internet. Internet et la télévision. Les téléphones cellulaires et les ordinateurs de poche. Les imprimantes et les photocopieurs, scanners et fax.

Baptisé « convergence », ce concept combinatoire a reçu l'aval des médias du monde entier ou presque. Reste que si tout le monde se rue sur le concept de convergence, la possibilité de donner naissance à de nouvelles marques en créant de nouvelles catégories de produits menace d'être réduite à une peau de chagrin. (Les téléphones de troisième génération dont nous parlions plus haut sont des produits relevant de ce concept de convergence, raison pour laquelle nous ne leur promettons pas un avenir très brillant.)

Fervents partisans de l'approche nouvelle catégorie/nouvelle marque, nous sommes déterminés à établir le concept inverse, que nous appelons « divergence ».

Fort heureusement, nous avons l'histoire pour nous. L'unité centrale de traitement, la nouvelle catégorie qui a fait la marque IBM, ne convergeait pas. Elle divergeait, ouvrant par là même la porte à la création de nombreuses catégories et marques nouvelles : les mini-ordinateurs (DEC), les stations de travail (Sun Microsystems), les ordinateurs personnels (Compaq), la vente directe de PC (Dell), les logiciels pour PC (Microsoft).

La télévision, cette catégorie nouvelle qui a créé les marques ABC, CBS et NBC, ne convergeait pas. Elle divergeait, ouvrant par là même la porte à la création de nombreuses catégories et marques nouvelles : la télévision par câble (ESPN, CNN), la télévision par câble à péage (HBO, Showtime), la télévision par satellite (DirectTV, EchoStar).

Jusqu'à ce jour, malheureusement, nous n'avons pas réussi à mettre les médias de notre côté. Depuis huit ans, nous essayons de faire publier un article sur la divergence, avec bien de peu de succès, il faut le reconnaître. Mais nous continuons à essayer différentes approches et tôt ou tard, nous réussirons.

Plus le processus de gestation est long, plus l'histoire est importante. Il faut deux ans à un éléphant pour naître.

L'histoire de Whitestrips

Procter & Gamble a dépensé 90 millions de dollars dans une campagne de marketing traditionnelle pour le lancement de Crest Whitestrips, dont 40 millions en publicité télé et presse. (Le produit consiste en une boîte de petites bandes en plastique transparentes que les consommateurs portent sur leurs dents à une demi-heure d'intervalle deux fois par jour pour blanchir leurs dents.)

Mais l'ère des RP a sonné et P & G commet, de notre point de vue, trois erreurs de base.

Initier la communication Whitestrips par de la publicité et non une campagne de RP. Naturellement, les RP jouent un rôle dans la campagne Whitestrips mais vous déventez la voile des RP quand vous commencez la campagne par la publicité. En général, les journalistes ne font pas d'articles sur les produits pour lesquels ils voient de la publicité.

Il faut plusieurs années aux RP pour établir une nouvelle catégorie comme Whitestrips, sans parler de la marque. Dans le cas présent, le produit est porteur d'un potentiel réel pour les médias. C'est le seul de son espèce sur le marché et il bénéficie d'une douzaine de brevets déposés par P & G.

Les publicités télévisées pour Whitestrips ont privilégié la forme – comprenez la créativité – sur le fond. Le responsable du budget a expliqué en ces termes l'idée de la campagne : « Des choses que vous ne vous attendriez pas à voir devenir blanches deviennent blanches au simple contact de l'emballage. » Les pubs télé mettaient en scène des fourmis et un caméléon qui virent au blanc en rampant sur une boîte de Whitestrips. Créatif, oui. Crédible, non. (Les animaux n'ont d'ailleurs pas fait long feu. Whitestrips est depuis revenu à une publicité plus classique.)

Utiliser un nom d'extension de gamme. Crest est une marque de pâte dentifrice. Mettre le nom Crest sur le nouveau produit Whitestrips n'aide ni Whitestrips ni la pâte dentifrice.

Une avancée aussi révolutionnaire que les dents blanches appelle un nouveau nom de marque. (Levi Strauss a d'abord lancé sa collection de pantalons sportswear sous le nom Levi's Tailored Classics ; ils ont ensuite réalisé qu'il y avait mieux à faire et ont changé le nom en Dockers.)

Il est plus facile de se souvenir d'un seul nom que de deux ou trois. Si un consommateur veut acheter un pantalon décontracté, il lui suffit de se souvenir de Dockers, et non de Levi's Tailored Classic. Si vous avez envie d'acheter le nouveau produit de Procter & Gamble, il faut que vous vous souveniez de deux noms, Crest Whitestrips. Un nouveau nom de marque aurait permis d'éviter cet inconvénient.

À quoi renvoie la marque Crest ? Crest a été la première pâte dentifrice anti-carrie et la première pâte dentifrice approuvée par l'American Dental Association. Une abondante couverture presse a contribué à établir la marque.

Avec le temps, les marques se délabrent. Crest a besoin d'entretenir sa marque de dentifrice grâce à la publicité. Pourtant, la plupart des campagnes de publicité de Crest ont été consacrées au lancement de nouveaux parfums, de nouveaux packagings et de nouvelles extensions de gamme. Cela explique en partie que la marque ait perdu sa position de numéro 1 des pâtes dentifrices au profit de Colgate.

Et ce n'est pas Crest Whitestrips qui va permettre au dentifrice Crest de retrouver son leadership.

Ne pas donner au nouveau produit un nom de catégorie porteur de sens. Whitestrips est, naturellement, une marque déposée de Procter & Gamble. Et pour contourner la réglementation sur les brevets, le nom

Whitestrips est accompagné, en minuscules, des mots *système de blanchiment des dents*.

Les consommateurs vont-ils employer l'expression *système de blanchiment des dents ?* Non. Ils désigneront la nouvelle catégorie par son nom, « whitestrips ». Qui plus est, dès que les concurrents de Procter & Gamble auront trouvé un moyen de contourner ses brevets, les *whitening strips*, *clear strips*, *dental strips*, *bright strips* et autres *smile strips* fleuriront sur le marché.

De fait, des systèmes concurrents de blanchiment des dents existent d'ores et déjà sur le marché (mais pas du même type que Whitestrips) : Dazzling White, Natural White, Dental White, Rapid White, Finally White, Sonic White et Plus White.

Sans oublier les pâtes dentifrices à action blanchissante qui viennent encore brouiller un peu plus les choses : Ultra Brite Advanced Whitening, Colgate Platinum Whitening et Crest Extra Whitening.

Tôt ou tard, Crest l'emportera sur Whitestrips comme marque de système de blanchiment des dents de Procter & Gamble. (Miller Lite est tombé dans le même piège de l'extension de gamme. Au fil du temps, *Lite* est devenu un terme générique désignant la catégorie des bières légères et l'identité de la marque est devenue Miller, créant par là même une confusion avec toutes les autres marques Miller. La même chose arrivera à Crest Whitestrips.)

Les extensions de gamme sont à l'origine de deux problèmes : (1) elles brouillent l'identité singulière de la marque ; (2) elles cannibalisent la marque mère en termes de publicité.

Une marque sans potentiel RP ?

Que se passe-t-il si un nouveau produit ou service n'est pas susceptible d'intéresser les journalistes ? Nombre de professionnels du marketing sautent en marche du train des RP dès qu'ils découvrent qu'ils ont sur les bras une marque boudée par la presse.

Nous n'avons pas le choix, avancent-ils en guise d'excuse, nous sommes obligés d'utiliser la publicité pour lancer notre nouvelle marque. Tel est bien le défi le plus important du marketing aujourd'hui : comment lancer une marque ayant peu, ou pas, de potentiel RP.

C'est l'enjeu auquel s'est trouvé confronté Coca-Cola avec le lancement de sa marque KMX destinée à concurrencer Red Bull. La presse n'a pas boudé KMX mais les articles n'étaient pas très favorables. À la vérité, les articles consacrés au lancement de KMX ont probablement davantage aidé Red Bull que KMX. Si Coca lance une boisson énergétique, ont pensé les médias, c'est que la catégorie doit être importante et que le succès de Red Bull inquiète la société.

S'il est un cas qui illustre à quel point création de marque et publicité font mauvais ménage, c'est bien l'expérience de Coca-Cola. Oui, Coca-Cola, la société qui possède la marque la plus prisée et la plus connue du monde, la société au chiffre d'affaires annuel de 20 milliards de dollars, la société qui possède le réseau de distribution le plus puissant de l'industrie du *soft drink*, et la société qui emploie certaines des agences de publicité les plus prestigieuses du monde. Reste que KMX est condamné à venir grossir les rangs des déconvenues marketing de Coca.

Sur les niches du marché des boissons gazeuses, être numéro 2, c'est n'être nulle part. À moins d'être le premier dans une nouvelle catégorie, il est difficile d'obtenir l'attention des médias.

Après le succès de Dr. Pepper, Coca-Cola a essayé Mr. Pibb, sans beaucoup de réussite.

Après le succès du Mountain Dew de Pepsi, Coca-Cola a essayé Mello Yellow, sans grand succès. Plus récemment, Coca a essayé Surge, sans grand succès non plus.

À la suite du succès du Frappuccino de Starbucks, Coca-Cola a essayé Planet Java. Si l'issue du combat n'est pas encore acquise, y a-t-il quelqu'un pour penser que Planet Java va devenir une grande marque, comme Frappucino ? Pas nous, en tout cas.

Comment lance-t-on une marque sans potentiel de médiatisation ?

La triste vérité est que vous ne lancez pas la marque en question. Dans l'environnement saturé de messages et d'informations qui est le nôtre, c'est dans la presse que les batailles se gagnent ou se perdent. Pour gagner la bataille du marketing, il faut gagner la bataille de la presse.

Les médias sont le nouveau champ de bataille des entreprises. Un directeur marketing qui lancerait une marque sans aucun espoir de gagner la guerre des RP serait dans la même position qu'un général qui lancerait une attaque frontale contre un ennemi retranché.

Et pourtant, des Charges de la Brigade Légère se produisent tous les jours sur la scène marketing. Des sociétés lancent des marques, souvent des extensions de gamme, à grands renforts de campagnes de publicité et sans le moindre potentiel médiatique. Le cocktail est mortel, synonyme de pertes financières considérables et, le plus souvent, de fiasco commercial.

Mais les RP n'intéressent pas seulement les nouvelles marques. Les vieilles marques elles aussi ont souvent besoin des RP.

12

Opération reconstruction : marques anciennes et RP

Quand nous parlons de « création de marque », nous ne parlons pas seulement de marques nouvelles. Nous parlons de toutes les marques qui ne signifient pas grand-chose dans l'esprit du consommateur. Une marque créée il y a cinquante ans qui n'évoque rien pour le consommateur n'est pas différente d'une marque toute neuve… en termes de stratégie. Toutes les deux doivent débuter avec les RP pour établir leur crédibilité et leur légitimité avant de se tourner vers la publicité.

Pour dire la vérité, la plupart des marques n'évoquent rien pour les consommateurs. Rares sont celles qui ont réussi à se faire un nom et une réputation suffisants pour retirer les fruits d'une stratégie publicitaire.

Même une marque connue et reconnue aura d'abord besoin des RP si elle envisage de faire évoluer son image. Même un nom connu a besoin d'autre chose qu'un coup de baguette publicitaire pour se faire une nouvelle place dans l'esprit du prospect. Les perceptions ont la vie dure, surtout si votre seule arme s'appelle publicité.

Repositionner la marque AARP

Qu'incarne l'AARP ? Aux yeux de la plupart des Américains, « les retraités », comme dans American Association of Retired People.

La plupart des Américains se trompent. Nombre des membres de l'AARP sont toujours actifs et donc, en 1998, l'American Association of Retired People a décidé de se rebaptiser AARP.

Ce changement de nom ne rime à rien pour la simple et bonne raison qu'il n'a aucune influence sur ce que l'AARP évoque dans l'esprit du public. On ne tire pas un trait sur son passé en transformant simplement son nom en sigle. Kentucky Fried Chicken a-t-il réussi à faire oublier que son poulet était « frit » (Fried) en se rebaptisant KFC ? La Maison Internationale du Pancake (International House of Pancakes) s'est-elle débarrassée des « pancakes » en devenant IHOP ? Sous de nombreux aspects, c'est très souvent l'inverse qui se produit. La maison du Whopper se désigne souvent elle-même par les initiales « B.K. » parce que c'est une façon impliquante de dire Burger King.

Puisque l'objectif de l'AARP était de changer la façon dont l'association était perçue, ses dirigeants auraient dû commencer par prendre une feuille de papier blanc et concevoir de A à Z un programme recélant un réel potentiel de RP. (Pas de presse, pas de changement de perception. C'est aussi simple que ça.)

Nombre d'évolutions sociales affectant la société américaine auraient ainsi pu constituer les pivots d'une campagne de RP pour l'AARP.

Cela n'intéresse personne que l'AARP ne souhaite pas être associée au mot « retraités ». C'est un « non événement ». Ce qui compte, et ce qui est intéressant, c'est ce pourquoi l'AARP souhaite être connue. À savoir ? Notre suggestion : remplacer le mot *retraités* par le mot *revitalisation*, comme dans Association Américaine pour la Revitalisation des Individus (American Association for Revitalizing People).

Mettre l'accent sur la formation en vue des changements qui interviendront dans nos vies passé le cap de la cinquantaine. (Thème que nous proposons : aider les individus à mieux vivre la seconde moitié de leur vie.)

Nos objectifs et aspirations changent avec le temps. À 21 ans, on a envie d'un emploi riche de perspectives de carrière, d'un emploi qui apporte prestige et argent. À 50 ans, âge à partir duquel on peut devenir membre de l'AARP, on a envie d'un emploi riche de sens, dans lequel s'épanouir et se réaliser.

L'espérance de vie a augmenté. À 21 ans, un individu peut s'attendre à travailler 39 ans avant d'être éligible pour l'AARP. Mais à 50 ans, un individu a encore devant lui 34 ans de vie. Si vous réussissez à atteindre le cap des 50 ans, il vous reste encore, en moyenne, plus de la moitié de votre vie d'adulte à vivre.

Les gens travaillent aussi plus longtemps. Un sondage récent a montré que 40 % des individus envisagent de poursuivre un travail rémunéré après l'âge de la retraite. Le même pourcentage envisage d'avoir une activité bénévole. (Regardez Jimmy Carter.)

Nous suggérons également un nouveau nom pour le magazine de l'AARP, *Modern Maturity*. (Qui a envie d'être vieux ?). Notre proposition : *Acte II*.

Soulignons ici que l'AARP a récemment lancé une version en espagnol de *Modern Maturity* sous un nom excellent, *Segunda Juventud*, « deuxième jeunesse ».

(Puisque l'AARP est désormais dirigée par un spécialiste de haut vol des RP, on peut espérer que c'est dans ce sens qu'évoluera l'association à l'avenir.)

La solution à un problème de RP est invariablement un axe de communication précis, clair. Mais il faut du courage pour choisir cet axe. La communication de l'American Cancer Society vise à faire prendre conscience aux Américains des sept signes avant-coureurs du cancer mais qui peut seulement en citer un ?

Repositionner l'American Heart Society

L'American Heart Society est dans la même situation que l'AARP et l'American Cancer Society. Tout le monde connaît l'association mais personne ne sait ce qu'elle incarne.

À l'heure actuelle, la communication de l'American Heart Society vise à sensibiliser le public à (a) les trois signaux d'alarme annonciateurs d'une crise cardiaque, (b) les cinq signaux d'alarme annonciateurs d'une attaque et (c) les cinq règles pour garder un cœur en bonne santé. En outre, l'association cherche à sensibiliser l'opinion aux (d) cinq signes avant-coureurs les moins fréquents de la crise cardiaque chez les femmes.

Nous vous mettons au défi de citer un seul de ces signes avant-coureurs.

C'est quoi, le cœur ? Dans la mythologie, le cœur est le centre de l'amour et des sentiments. Dans la réalité, le cœur est une pompe. Des mécanismes de tous types ont besoin de pompes. Voitures, machines à laver, être humains. Les grosses voitures et les grosses machines à laver ont de grosses pompes. Les petites voitures et les petites machines à laver ont de petites pompes.

L'un des problèmes de santé les plus graves en Amérique aujourd'hui est l'obésité. Selon les statistiques du ministère de la Santé, 61 % des adultes sont trop gros ; 27 % sont obèses. Les gens qui grossissent ne peuvent pas aller au garage pour se faire implanter une pompe plus grosse. (Plus de 300 000 décès chaque année relèvent de maladies liées au poids.)

L'une des règles pour conserver un cœur en bonne santé est de « garder le bon poids ». C'est selon nous l'idée phare, et la seule idée, que devrait retenir l'American Heart Association pour sa communication. Aussi étonnant que cela puisse paraître, aucune autre grande association de santé n'a fait du problème de l'obésité son cheval de bataille.

Repositionner la marque Bacardi

Bacardi est une marque qui n'a pas besoin d'être repositionnée. C'est déjà l'alcool le plus vendu d'Amérique et ce, depuis vingt ans. (Pas seulement le rhum le plus vendu mais l'alcool le plus vendu.)

La question est : Bacardi peut-il encore améliorer sa position sur ses marchés ? Nous pensons que oui.

La boisson classique à base de rhum est le Rhum-Coca qui compte toujours pour près de la moitié de la consommation de rhum aux

États-Unis. Mais, comme de bien entendu, Bacardi a consacré l'essentiel de son budget marketing à essayer d'élargir la marque. Rhum-Martinis, rhum et tonique, rhum et jus d'orange, pina-coladas à base de rhum, daiquiris-rhum.

Quelle stratégie de RP utiliser pour promouvoir le rhum Bacardi ?

Notre suggestion est que Bacardi réduise le champ de sa cible et s'engage dans un retour aux sources. À la boisson qui a rendu la marque célèbre. Au rhum-coca.

Le don de faire des trouvailles est un attribut précieux pour un spécialiste des RP. En l'occurrence, Cuba Libre est le nom d'un cocktail composé de rhum, de Coca et de jus de citron. De fait, Bacardi affirme que le premier Cuba Libre a été fabriqué avec son rhum en 1898.

« Cuba Libre » est en outre une bannière particulièrement percutante pour une société de spiritueux qui a été expulsée de Cuba en 1959 lorsque les communistes et Castro ont pris le pouvoir. Aucune société n'a plus intérêt à ce que Cuba redevienne un état libre que Bacardi Limited qui a été contrainte de relocaliser ses activités à Puerto Rico.

Il y a des centaines de façons d'utiliser le concept de « Cuba Libre » dans une campagne de RP. On pourrait ainsi dire que le Cuba Libre est « le seul cocktail qui affiche à la fois votre bon goût et votre engagement politique ». Et songez donc à la fête monstre que pourrait organiser Bacardi quand Fidel finira par tirer sa révérence.

Repositionner la marque MARTA

Dans certains cas, le stratège des relations presse aura besoin d'instiller à la marque une idée totalement nouvelle. Nous habitons Atlanta, une ville qui a beaucoup d'attraits – des collines, des arbres, des entreprises dynamiques et un bel aéroport. Ce qui ne se passe pas toujours très bien, à Atlanta, c'est la circulation.

Pour résoudre ce problème, nous avons le réseau de transports publics MARTA (Metropolitan Atlanta Rapid Transit Authority). À quelle stratégie RP auriez-vous recours pour décider les gens à sortir de leur voiture et monter dans l'autobus ou le train ?

De nombreux problèmes sociaux présentent des similitudes avec celui de la circulation automobile à Atlanta. La drogue, l'alcool, l'obésité. Les gens savent parfaitement pourquoi ils ne devraient pas consommer de drogue ou boire ou manger trop, mais ils le font quand même.

Les gens savent pourquoi ils ne devraient pas prendre leur voiture pour aller travailler, mais ils le font quand même. Les campagnes publicitaires traditionnelles ne servent à rien sinon à gaspiller inutilement de l'argent et les campagnes de RP basées sur des thèmes publicitaires traditionnels sont tout aussi inutiles.

Nous avons réfléchi à la question et voici ce que nous proposerions. Avant tout, séparer autobus et trains. Mieux encore, donner au réseau d'autobus un autre nom et réserver celui de MARTA aux trains.

Un autobus n'est pas exactement un véhicule de « transport rapide ». Qui plus est, les propriétaires de voitures, cible réelle de la campagne, considèrent les usagers de l'autobus comme des gens qui n'ont pas les moyens de se payer une voiture. Abandonner la voiture au profit du bus reviendrait ni plus ni moins à une régression de statut, une chose toujours difficile à vendre.

Concentrons-nous donc sur les trains MARTA. Limiter son champ d'action est une bonne idée pour toute campagne marketing. Le moyen de travailler sur quelque chose de tangible. (Beaucoup de sociétés commercialisent une large gamme de produits ou de services pour offrir aux consommateurs « un choix plus étendu ». En agissant de la sorte, toutefois, elles sapent souvent le potentiel RP de leur ligne de produits.)

Comment amène-t-on les conducteurs de Mercury, Mercedes et autres Mitsubishi à devenir des adeptes du train ? En particulier, comment les amène-t-on à adopter le MARTA s'ils en connaissent déjà les avantages ? (Seulement 4 % des habitants de banlieue qui viennent travailler tous les jours à Atlanta utilisent les trains MARTA. Et 78 % de ceux qui viennent en voiture sont seuls dans leur automobile.)

Vous leur offrez la possibilité d'essayer le réseau de transports en commun. (On ne vend pas une nouvelle boisson en disant aux gens qu'elle a un goût délicieux. On leur fait goûter.)

Les « Mardis MARTA », voilà notre concept. Tous les mardis, le MARTA est gratuit pour tout le monde. Une fois par semaine, le réseau MARTA devrait laisser les prospects expérimenter le système afin qu'ils découvrent par eux-mêmes combien de temps dure leur trajet, le confort des rames, à quelle distance ils se trouvent de la station MARTA la plus proche, etc.

Un système aux coûts fixes élevés, ce qui est le cas d'un réseau ferroviaire, se prête particulièrement bien aux essais gratuits. Le coût pour transporter des passagers supplémentaires est minime. Certes, MARTA perdrait de l'argent sur certains utilisateurs réguliers mais pas ceux qui achètent des coupons hebdomadaires ou mensuels. Toute bonne idée exige une part de sacrifice.

Les dirigeants de MARTA adopteront-ils pour de bon l'idée des « mardis MARTA » ? Il y a peu de chance. « Comment ? Laisser utiliser notre service gratuitement ? Pas question. »

(Il est plus facile à un chameau de passer par le trou d'une aiguille qu'à une idée révolutionnaire de franchir le seuil du royaume de l'entreprise.)

Allitérations, répétitions et rimes

Si vous voulez doter votre marque d'une bannière mémorable, nous vous conseillons fortement d'user de l'allitération, de la répétition et de la rime. Les « Mardis MARTA » est un bien meilleur slogan que les lundis ou les mercredis MARTA.

L'histoire nous prouve que les slogans qui utilisent une ou plusieurs de ces techniques de facilitation de la mémorisation peuvent durer très longtemps.

- Fifty-four forty or fight (5440 sinon rien)
- Loose lips sink ships (Tant va la cruche à l'eau…)
- To be or not to be (Être ou ne pas être)
- Shop till you drop (À fond les courses)
- He who laughs last, laughs best (Rira bien qui rira le dernier)
- Toys for tots (Les jouets qui aiment les bébés)
- Liar, liar, pants on fire (Tel est pris…)
- Debbie Does Dallas

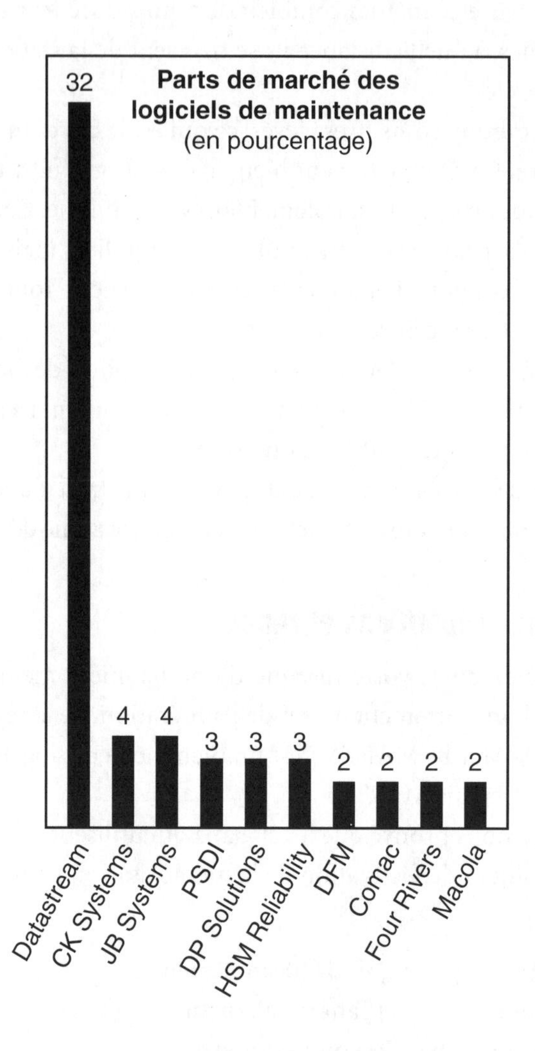

Une position de numéro 1 est votre première source de légitimité et votre meilleure carte de visite. Datastream a utilisé un graphique comme celui-ci dans toutes ses campagnes de marketing, dont les actions de RP, pour mettre l'accent sur son leadership sur le marché des logiciels de maintenance.

13

Établir votre légitimité

Toute couverture presse n'est pas bonne à prendre. Comment faire utilement parler de vous ? En privilégiant les articles, reportages et tout autre élément susceptible de contribuer à établir la crédibilité et la légitimité de votre entreprise et celle de vos produits.

Un article sur les boissons énergétiques qui parle de Red Bull mais sans mentionner le leadership de la marque dans sa catégorie peut avoir des conséquences négatives. Un article sur la sécurité automobile qui ne parle pas du leadership de Volvo dans ce domaine est également susceptible de nuire à la marque.

Mais un article favorable qui aide une marque à établir son leadership sur une catégorie donnée vaut sans conteste son pesant d'or.

C'est la raison pour laquelle il est impossible de mesurer l'impact des relations publiques de la même manière qu'un achat d'espace publicitaire. Ce que le secteur des RP appelle « équivalence valeur pub » n'a aucun sens. L'objectif d'une campagne de RP (créer une marque) est quelque chose que la publicité, à de rares exceptions, ne peut faire. Comment, dès lors, comparer les deux ou exprimer l'une en fonction de l'autre ? Cela revient peu ou prou à évaluer un bombardier B-52 à l'aune de troupes d'infanterie.

Reste que certaines sociétés mettent les deux en équation. On raconte ainsi que CBS a offert à la marque de soda Dr Pepper un spot gratuit pendant le Super Bowl d'une valeur de quelque 2 millions de dollars en réparation d'une remarque de David Letterman dans son émission. (Il aurait qualifié la boisson d'« eau croupie ».)

Lorsque vous cherchez à établir votre marque comme le leader de sa catégorie, il est particulièrement important d'utiliser les médias pour lui conférer la crédibilité et les références dont elle a besoin. Obtenir des articles dans des journaux, des reportages dans des magazines ou des interviews à la radio ou à la télévision n'est pas suffisant, bien que cela puisse aider.

Ce qui est absolument nécessaire, c'est de faire cautionner votre leadership par les médias.

L'histoire de Datastream

Nous avons aidé une société de logiciels de maintenance appelée Datastream à démarrer et à se faire connaître. Nous avons notamment suggéré à ses dirigeants de joindre un graphique représentant les parts de marché des différents acteurs du secteur à tous ses communiqués de presse.

Le graphique, avons-nous souligné, renforcerait l'impact de la position de leader de Datastream. De fait, la part de marché de la société était supérieure à celle de ses onze concurrents suivants réunis. Qui plus est, ce type de graphique décourage les prospects de chercher à en savoir plus sur les « seconds couteaux ». En effet, s'ils envisagent de s'intéresser à une marque secondaire, ils devront probablement les prendre toutes en compte, et les efforts qui seraient ainsi consentis n'en valent pas la chandelle. Il est beaucoup plus simple de décider de faire confiance au leader Datastream.

Mais est-ce que les prospects et la presse ne savaient pas déjà que Datastream était le numéro 1 de son marché ? Non, absolument pas. En 1993, il existait 150 fournisseurs qui avaient vendu seulement 27 700 solutions logicielles de maintenance sur un marché potentiel total de quelque 250 000 à 750 000 solutions. En d'autres termes, la pénétration de marché était de l'ordre de 4 à 11 %. (Et ce pourcentage était probablement surestimé.)

Datastream s'est donc lancé à la conquête de la place de numéro 1 du marché du logiciel de maintenance, position qui est toujours la sienne aujourd'hui.

L'histoire de Starbucks

L'une des meilleures façons d'établir votre crédibilité de leader est d'être la première marque dans une nouvelle catégorie. Starbucks a été la première chaîne de cafés à l'européenne aux États-Unis. De surcroît, les boutiques Starbucks ont séduit les populations urbaines jeunes et branchées. Tout naturellement, les médias se sont emballés tant pour le concept que pour ses clients.

« Il est difficile aujourd'hui de lancer un produit par le biais de la publicité grand public parce que les consommateurs ne sont plus aussi attentifs qu'ils l'étaient autrefois et parce qu'ils ne font plus confiance aux messages publicitaires », souligne Howard Schultz, président et fondateur de Starbucks. « Quand je vois les sommes qui sont investies en publicité, je suis étonné que les gens croient toujours qu'ils vont rentabiliser ces investissements. »

Nous ne sommes pas Starbucks, nous ont déclaré certains de nos clients, nous n'avons ni capuccino ni café au lait ni aucun produit qui puisse intéresser les médias. À notre époque, c'est un problème auquel se heurtent de nombreuses sociétés.

(À l'époque où les voitures étaient équipées de coûteux autoradios extractables, certains propriétaires de voitures ont essayé d'empêcher les effractions en affichant des autocollants « Pas de radio » sur la face intérieure de leur pare-brise. L'un d'entre eux a un jour retrouvé la vitre de sa voiture cassée et les mots « Achètes-en une » griffonnés sur son autocollant.)

Pas de produit excitant ? Trouvez-en un. Tel est désormais la tâche du spécialiste des RP. Trouvez une idée qui saura faire parler d'elle. Et pas n'importe comment. Des articles qui imposeront une marque dans l'esprit du public.

Créer et installer une nouvelle catégorie

Pour autant, la nouvelle catégorie n'a pas nécessairement besoin d'être renversante. Aux États-Unis, PowerBar a été la première barre vitaminée ; Heineken, la première bière d'importation chère ; Razor, le premier scooter high-tech.

Quand votre marque représente une nouvelle catégorie qui captive l'attention des journalistes, les retombées médiatiques peuvent être considérables. Lorsque Polaroid a lancé la photo instantanée, Dr. Land et son nouvel appareil de photo ont fait la couverture du magazine *Time* et ont eu les honneurs de toutes les émissions de télévision branchées et de tous les relais d'opinion importants. Littéralement, ce sont les journalistes et les relais d'opinion au sens large qui ont fait la marque Polaroid.

Lorsque Xerox a lancé le photocopieur à papier normal, la même chose s'est produite. Ce sont les RP qui ont créé la marque, pas la publicité.

Le juste rôle et la juste fonction de la publicité se situent en aval. Après que la marque ait été créée, que la marque ait acquis de la crédibilité dans l'esprit du prospect, on peut avoir recours à la publicité pour entretenir et renforcer sa notoriété. La publicité est l'infanterie qui vient après une attaque de chars ou une attaque aérienne. Il ne vous viendrait pas à l'esprit de lancer une attaque militaire avec la seule infanterie. Pourquoi lanceriez-vous une attaque marketing armé de la seule publicité ?

L'histoire du « Maillot miraculeux »

Parfois, la marque ne présente aucun potentiel RP. Il s'agit seulement d'un produit ou d'un service de plus. Pour la gente publicitaire, cela ne constitue pas un problème. Si le produit n'est pas passionnant, ce qu'il faut à l'annonceur, c'est une publicité excitante, autrement dit, de la créativité. (Nous avons suffisamment démontré, nous semble-t-il, la futilité de l'approche créative en publicité.)

La gente RP, pour sa part, se doit d'ajouter quelque chose à la marque pour faire parler d'elle. C'est la discipline des relations publiques qui exige de la créativité.

Parfois, les mots seuls peuvent y suffire. En 1992, A & H Sportswear a lancé un maillot de bain pour femme dans un tissu dont la trame apportait un étirement et un contrôle optimaux dans les deux sens (les autres maillots de bain ne s'étirent que dans un sens). Ils ont même donné à leur nouveau produit un nom excitant, « Miraclesuit », le maillot de bain miraculeux. Mais c'est l'agence de RP Burson-Martseller qui a traduit en mots les avantages de la marque : « Cinq kilos de moins en dix secondes. » (Les dix secondes qu'il faut pour enfiler le maillot.)

Grâce aux relais d'opinion exclusivement, sans aucune publicité, Miraclesuit est devenue une marque à succès. Bien que le maillot soit vendu dans la section créateurs des grands magasins à un prix 20 à 25 % plus élevé qu'un maillot de bain ordinaire, Miraclesuit est devenu le numéro deux du marché, derrière Nautica.

Dix ans plus tard, maintenant que la notoriété de la marque est établie et que le potentiel de RP s'essouffle, l'heure a peut-être sonné pour Miraclesuit d'abandonner le cheval RP pour enfourcher celui de la pub. Et quel devrait être le concept publicitaire de Miraclesuit ? « Cinq kilos de moins en dix secondes. »

Et selon vous, quelle est la probabilité que la future agence de publicité de Miraclesuit utilise réellement une telle stratégie ? Nulle ou presque. L'activité publicitaire se focalise sur la créativité, la quête du nouveau et du différent. Nous savons d'expérience qu'il est difficile pour une nouvelle agence d'adopter une idée créée par une précédente agence. Et il sera encore plus difficile pour une agence de publicité d'adopter une stratégie élaborée par une agence de RP. C'est le syndrome « PII », « pas inventé ici ».

(La publicité a un rôle et une fonction à occuper, mais ils n'ont rien à voir avec la créativité. Et tout à voir avec l'art du plagiat. L'agence de publicité du futur devra bâtir des campagnes d'entretien, reprenant des idées et des images déjà implantées dans l'esprit du prospect par des campagnes de RP.)

14

Déployer la marque : l'effet boule de neige

Après une carrière médiocre en librairie, *The Red Tent*, premier roman d'un auteur inconnu (Anita Diamant), était programmé pour le pilon. Lorsqu'on proposa à l'auteur les invendus au prix de 1 dollar le volume, elle suggéra à l'éditeur qu'il serait plus judicieux d'envoyer des exemplaires du roman à des rabbins. (Le livre raconte la vie romancée de Dinah, la seule sœur de Joseph, propriétaire du manteau aux mille couleurs.)

Cela a marché. Deux ans et demi après sa publication, *The Red Tent* est devenu un best-seller. L'édition de poche s'est vendue à quelque 2 millions d'exemplaires et Hollywood a acheté les droits du livre.

To Dance with the White Dog, le roman de Terry Kay, a sommeillé pendant six ans au Japon. Jusqu'au jour où le sous-directeur de la librairie d'une petite ville a découvert le livre et l'a tellement aimé qu'il a écrit une critique enthousiaste qu'il a affichée dans son magasin.

La librairie a vendu 471 exemplaires du roman en un mois, un chiffre exceptionnel pour une petite librairie. Là-dessus, une jeune représentante commerciale de l'éditeur du livre au Japon a réussi à convaincre son patron de diffuser la critique manuscrite dans tout le pays. La presse et la télévision se sont emparées de l'affaire et 500 000 exemplaires du livre ont été réimprimés au Japon, deux fois plus que le nombre d'exemplaires vendus aux États-Unis depuis la sortie du roman en 1990.

Une minuscule étincelle déclenche une campagne de RP qui fait vendre un demi-million d'exemplaires d'un livre ? Et oui, cela arrive tous les jours. Malheureusement, lorsque la marque devient connue et célèbre, lorsque la marque atteint le sommet de la montagne, le management a tendance à effacer toute trace du chemin qui l'a conduite jusque-là. Notre marque a tout de suite été connue, affirment-ils, ou elle doit son succès à ses seuls mérites. Et non, la presse n'est pour rien dans tout ça.

L'article « fondateur »

En matière de relations publiques aujourd'hui, l'une des tactiques les plus efficaces consiste à obtenir un article « fondateur ». Nous désignons par là un article favorable dans une publication (ou une émission de télévision) de premier plan qui soutiendra l'ensemble de la campagne de RP.

Le 28 avril 1997, la première page de la section « Entreprises et Marchés » du *Wall Street Journal* consacrait un long article aux pizzas Papa John's (« Une chaîne de pizzas populaire fait le pari du goût »).

Le concept de communication de Papa John's était : « De meilleurs ingrédients, de meilleures pizzas. »

Papa John n'utilise pas de sauce tomate à base de concentré mais une sauce faite à partir de tomates fraîches et bien mûres. Papa John's n'utilise pas plusieurs fromages mais exclusivement de la mozarella. Papa John's n'utilise pas de la pâte congelée mais de la pâte fraîche. Et Papa John's ne fait pas sa pâte avec de l'eau du robinet mais avec de l'eau purifiée.

Au fil des mois, un article « fondateur » peut être repris et décliné en beaucoup d'autres articles. Aucun journaliste n'écrira un article sur Papa John's sans vérifier auparavant ce que le *Wall Street Journal* a raconté sur l'entreprise et, grâce à Internet, c'est une chose facile à faire.

La clé du succès de la marque Papa John's est moins évidente qu'il n'y paraît. Il ne s'est pas agi seulement de faire découvrir les bénéfices produit (nous possédons cet avantage, nos concurrents non). Le cœur du concept, c'est que les pizzas Papa John's ont été les premières pizzas haut de gamme. Les avantages produit soutiennent ce positionnement. Cet avantage du pionnier a permis à Papa John's de remporter la guerre des médias. *Vous ne pouvez pas devenir célèbre si vous n'êtes pas premier dans quelque chose.*

Le déploiement d'une marque de beignets

Il faut parfois du temps à une nouvelle entreprise pour trouver le créneau sur lequel elle pourra être la première. La société de services de restauration Industrial Luncheon Services a été fondée en 1946. Deux ans plus tard, elle était à la tête de 200 camions de vente ambulante, 25 cafétérias d'entreprise et d'un distributeur automatique. Lorsque le fondateur William Rosenberg étudia ses statistiques commerciales, il remarqua que ses camions ambulants réalisaient 40 % de leur chiffre d'affaires en beignets et en café. Cette observation allait transformer une modeste société de restauration régionale en marque mondiale.

Rosenberg réduisit le champ de ses activités en ouvrant une boutique de beignets et de café qui deviendra plus tard Dunkin'Donuts, premier magasin de beignets où les clients pouvaient consommer sur place.

Aujourd'hui, Dunkin'Donuts est la plus grande chaîne de beignets et de café du monde, comptant environ 5 000 points de vente aux États-Unis et dans 35 autres pays. (Les autres activités de restauration de Rosenberg ont disparu depuis longtemps.)

Et puis il y a Krispy Kreme, la marque de beignets dans le vent. Krispy Kreme a concentré son concept sur la lie du beignet, le beignet glacé, et conquis sa place jusqu'au sommet dans un ouragan de bouche à oreille et de couverture médias.

Peu de temps avant l'ouverture d'une boutique Krispy Kreme dans une banlieue de Phoenix, le Shérif Joe Arpaio, qui se targue d'être le « shérif le plus dur d'Amérique », a demandé à être le premier client de la boutique. Krispy Kreme s'est fait un plaisir d'accorder ce privilège à

Joe Arpaio qui est devenu une célébrité locale en obligeant ses prisonniers à porter des sous-vêtements roses.

Le shérif a donc dégusté son beignet devant les caméras de télévision puis y est allé de la « petite phrase » parfaite : « Ces beignets sont tellement bons qu'on devrait les interdire ».

Autre événement qui a mis le feu aux poudres de la médiatisation de Krispy Kreme, son IPO d'avril 2000. Jamais une introduction en bourse n'avait eu si bon goût. Projeter une introduction en bourse est en général une excellente initiative RP pour une marque qui a le vent en poupe.

L'avantage du pionnier ne se vérifie pas toujours

La vie est injuste. Impossible de devenir célèbre si vous n'êtes pas le premier dans quelque chose. Mais si vous êtes déjà célèbre, votre produit n'a pas forcément besoin de défricher des terres vierges pour générer des tonnes d'articles. Prenez par exemple la couverture médiatique considérable dont ont bénéficié la console de jeux Xbox et le système d'exploitation Windows de Microsoft.

L'agence Edelman PR a réussi à faire couvrir le lancement de la Xbox par des centaines d'articles dans les plus grands titres de la presse nationale avant que la campagne de publicité débute. Le succès du lancement a été tel que la Xbox est devenue en quinze jours la console de jeux la plus vendue du marché.

Pourquoi la presse ne parle-t-elle pas autant de nous que de Microsoft, nous demandent certains clients. Parce que vous n'êtes pas Microsoft, leur répondons-nous. Les médias, c'est comme l'argent. Les pauvres en ont besoin et pas les riches. Et à qui va tout l'argent ? Aux riches. Et donc à qui vont tous les articles ? Aux entreprises qui n'en ont pas besoin.

Cette inégalité devant la presse transparaît dans les titres des articles. « Microsoft explore un nouveau territoire : le jeu », écrivait le *New York Times* au sujet de la Xbox. Mais l'article du *Wall Street Journal* ne disait pas : « Papa John's fait le pari du goût », il disait : « Une chaîne de pizzas populaire fait le pari du goût. » (La marque Papa John's n'est pas assez connue pour avoir les honneurs du titre.)

Gravir et descendre la montagne des médias

Les relations publiques peuvent être définies comme un jeu à deux temps : (1) gravir la montagne et (2) descendre la montagne.

Lorsque vous créez une marque, vous la poussez vers le haut de la montagne médiatique. On ne commence pas tout en haut et il faut savoir que l'ascension n'a rien de facile.

Quand vous êtes au sommet, lorsque votre marque est devenue un joyau comme Microsoft, il est de temps de changer de stratégie. De devenir plus sélectif. Vous n'appelez plus les journalistes, vous choisissez ceux auxquels vous répondez. Vous refusez beaucoup plus de demandes des médias que vous n'en acceptez. Votre stratégie n'est plus de faire parler de la marque mais de protéger la marque de toute publicité négative.

En phase de conquête, votre stratégie est de déployer la marque et de provoquer un effet boule de neige. Prendre ce que les médias vous proposent, et il s'agira rarement d'une émission sur une grande chaîne de télévision nationale ou d'un article dans l'un des cinq grands quotidiens du pays. Commencer petit dans une obscure publication pour ensuite « dérouler » votre histoire dans des supports plus importants.

Toute marque qui atteint le sommet y parvient grâce à une presse et à des relais d'opinion favorables. Le produit a beau être meilleur, il n'ira nulle part sans médiatisation. Quand vous essayez de pousser votre marque tout en haut de la pyramide médiatique, un PDG connu peut constituer un atout précieux. Où en seraient aujourd'hui les glaces Ben & Jerry, les premières glaces « éthiques », sans Ben Cohen et Jerry Greenfield ? Ce sont les deux entrepreneurs hippies qui ont fait de Ben & Jerry la marque qu'elle est aujourd'hui.

À la différence des campagnes de RP, dont le début est en général modeste, les campagnes de publicité sont systématiquement basées sur le concept du big-bang. « Lançons cette campagne avec le plus grand déluge publicitaire de tous les temps » semble être le mot d'ordre.

Impossible d'avoir recours à cette stratégie du big-bang dans le cas d'une campagne de relations publiques. Toute marque requiert un calendrier spécifique. En règle générale, vous devez faire parler de votre marque dans un support secondaire avant d'emmener la campagne (de la déployer) vers le média suivant, plus important.

Il importe également de laisser à vos actions de RP le temps de porter leurs fruits. L'impatience tue davantage de bons concepts RP qu'une mauvaise mise en œuvre. Plus le concept est bon, plus il faudra de temps pour l'implanter dans les esprits. C'est nouveau, c'est différent, donc c'est suspect. Les journalistes, c'est peu de le dire, sont parfois aussi méfiants que les consommateurs.

L'effet boule de neige et la marque « Positionnement »

Le concept de « positionnement » dont Jack Trout et moi-même avons été les pionniers a cheminé d'une petite publication professionnelle (*Industrial Marketing*) à une publication professionnelle plus importante (*Advertising Age*) pour enfin apparaître dans le *Wall Street Journal*.

En l'occurrence, le *Wall Street Journal* a eu connaissance de notre concept par une publication professionnelle mais il faut souligner que la rédaction ne nous aurait pas consacré d'article si notre concept avait déjà eu les honneurs du *New York Times*, de *Time*, de *Newsweek* ou de tout autre magazine grand public.

Si vous choisissez de violer « l'ordre des préséances » médiatiques, c'est à vos risques et périls. Le *Wall Street Journal*, par exemple, ne consacrera pas un article à un sujet ou à une entreprise sur lesquels *USA Today* a déjà écrit quelque chose. En revanche, *USA Today* pourra faire paraître sa propre version d'un sujet déjà couvert par le *Wall Street Journal*.

Les chaînes de télévision nationales, pour leur part, n'ont pas ce genre de coquetterie. Tout ce qui compte pour elles, c'est la qualité du porte-parole et l'attrait du sujet pour les téléspectateurs. Dès lors, une avalanche d'articles dans la presse constitue le terrain de lancement idéal pour une prestation télévisée.

Toutes les apparitions télévisées que nous avons pu faire (*CBS Early Show*, NBC *Nightly News*, *ABC World News Tonight*, *CNN*, *CNBC*, etc.) ont été déclenchées par un article.

Personne ne lit davantage la presse que les journalistes. « Pourquoi n'avons-nous rien fait là-dessus ? », est une question dont tous les rédacteurs en chef sont familiers. « Trouve-moi un nouvel angle et fais-moi un papier pour la semaine prochaine. »

Ce sont ces relations qui sont au cœur de la stratégie du déploiement et de l'effet boule de neige. Il importe donc d'étudier soigneusement quelles publications sont gourmandes d'idées nouvelles et quelles publications ne feront un article qu'une fois que le sujet en question aura déjà été crédibilisé par d'autres médias.

Evidemment, il y a toujours des exceptions à la règle. Si le concept et l'histoire de votre marque sont tellement puissants qu'ils sont susceptibles de créer un engouement médiatique immédiat, vous pouvez attaquer tous les médias simultanément. Le lancement du Viagra, le premier médicament contre les troubles de l'érection, relève de cette catégorie. Mais n'oublions pas que peu de marques dans l'histoire du marketing ont décollé aussi vite que le Viagra.

L'effet boule de neige et la marque Mustang

Aucun secteur n'est aussi dépendant de la publicité que l'automobile. L'année dernière, sept des treize plus gros budgets publicitaires aux États-Unis concernaient des marques automobiles (Chevrolet, Dodge, Toyota, Ford, Nissan, Chrysler et Honda). Ensemble, ces marques ont dépensé 4 milliards de dollars en publicité, de quoi mener une petite guerre.

L'année dernière toujours, ces sept marques ont vendu 11 108 32 voitures et pour chaque automobile vendue, ces sept marques ont dépensé 359,12 dollars en publicité.

Vous vous souvenez d'un spot télé ou d'une annonce presse pour une marque de voiture ? Et plus précisément, avez-vous souvenir d'une pub qui ait eu une influence sur la marque que vous aviez envie d'acheter ? La plupart des gens, non.

En dépit de ces dépenses colossales, la publicité ne joue qu'un rôle marginal dans la vente de voitures. Les acheteurs sont beaucoup plus influencés par ce qu'ils observent sur les routes, le bouche à oreille, les articles dans la presse, etc.

Il faut remonter à 1964 pour trouver une voiture qui ait bénéficié d'un lancement digne de ce nom : la Ford Mustang. Des informations sur la Mustang, la première voiture de sport destinée aux gens qui n'aimaient pas conduire des voitures de sport, ont été distillées aux médias près d'un an avant son lancement officiel (l'effet d'annonce et la montée en régime progressive).

Six mois avant le lancement, le PDG Lee Iacocca a invité les journalistes les plus en vue du pays à découvrir la voiture en avant-première. Des dossiers de presse ont été envoyés à des milliers de journaux et de magazines. Deux cents disc-jockeys ont été invités à essayer la voiture et Ford leur a prêté une Mustang blanche pendant une semaine.

Enfin, le 13 avril 1964, le lancement de la voiture auprès du grand public a eu lieu conjointement à l'inauguration du pavillon Ford à la Foire Mondiale de New York. À l'issue de la réception, les journalistes présents ont convoyé un groupe de Mustangs de New York à Detroit.

Il s'en est suivi un battage médiatique incroyable. Lee Iaccoca et sa Mustang ont fait la couverture de *Time* et de *Newsweek* la même semaine, fait sans précédent dans l'histoire des deux magazines.

Les ventes aussi ont crevé tous les plafonds. En quatre mois seulement, les 100 000 premières Mustangs avaient été vendues. Au bout d'un an, 400 000 modèles étaient en circulation. Deux ans après le démarrage de la production, la millionième Mustang sortait des chaînes sous les applaudissements des médias.

Une nouvelle catégorie, un porte-parole célèbre pour la marque, une montée en régime progressive et une date de lancement couplée à l'inauguration d'un événement international : tels ont été les ingrédients du succès médiatique de la Mustang. Toutes ces bonnes fées ne seront certes pas toujours réunies autour du berceau de votre marque mais c'est une démarche dont vous avez tout intérêt à vous inspirer.

Le constructeur Ford a-t-il également dépensé des millions en publicité pour la Mustang ? Bien sûr. En avait-il besoin ? Sans doute pas.

La publicité s'apparente souvent à la potion qu'un vieux cow-boy répandait sur la piste comme il guidait un groupe à travers le Grand Canyon.

« Que fais-tu ? lui demanda l'un des membres du groupe.

- J'éloigne les éléphants, répond le cow-boy.

- Il n'y pas d'éléphant à cinq mille kilomètres à la ronde.

- Efficace, pas vrai. »

Nous ne doutons pas que les cow-boys de la publicité se soient empressés de revendiquer à l'époque les lauriers du succès de la Mustang. Quand les ventes grimpent, la publicité fait la roue. Quand les ventes chutent, c'est le produit qu'on accuse.

15

Les universités dans la cour des marques

N'en déplaise aux heureux élus de Harvard, Princeton et Yale, ces établissements d'enseignement sont devenus des marques. Et comment sont-ils devenus des marques ? Certainement pas grâce à la publicité. Ces écoles sont devenues de puissantes marques parce qu'elles ont abondamment fait parler d'elles, même si elles n'ont jamais directement orchestré de campagne de RP à proprement parler.

Quelques universités ont essayé de bâtir des marques en utilisant la publicité, à commencer par l'Université Adelphi de Long Island. La campagne d'Adelphi consistait en annonces presse pleine page avec les accroches suivantes :

- « Harvard. L'Adelphi du Massachusetts. »
- « Un enseignement d'une telle qualité, est-ce bien nécessaire ? »
- « Il y a trois choses que tout le monde devrait lire avant d'entrer à l'université : la *République* de Platon, les œuvres complètes d'Aristote et cette publicité. »

Résultat des courses ? L'université d'Adelphi est-elle devenue la Harvard de Long Island ? Question idiote. Le résultat des courses ? Le président d'Adelphi s'est fait virer. On ne construit pas une marque à coups de pub, parce que la publicité est à peu près aussi crédible qu'une prédiction dans une papillote.

Il en va tout autrement du magazine *Fortune*. Si *Fortune* avait publié un article qualifiant Adelphi de « Harvard de Long Island », il aurait eu un impact considérable sur la destinée de l'université. Il suffit parfois d'un commentaire positif dans un article ou une émission de télévision que l'on reprend ensuite indéfiniment dans de nouvelles parutions, en marketing direct et actions de RP auprès d'autres médias. (L'article fondateur.)

L'université de Quinnipiac et les sondages

Intéressons-nous à l'université Quinnipiac. Cette petite école privée de Hamden, dans le Connectitcut, a un nom difficile – c'est le moins que l'on puisse dire. Au cours des dix dernières années, pourtant, l'université a vu son nombre d'étudiants passer de 1 900 à 6 000 et a presque quintuplé son budget qui s'élève à l'heure actuelle à 115 millions de dollars.

Question : Quelle est la clé des bons résultats de Quinnipiac alors que les inscriptions universitaires sont en chute libre au niveau national ? Réponse : les Sondages Quinnipiac.

Lorsque John Lahey a pris la direction de l'école en 1987, il a décidé que cette bonne vieille fac avait besoin de faire un peu parler d'elle. Il a donc créé les Sondages Quinnipiac, qui couvrent les élections régionales et nationales et diverses questions d'actualité, et bombardé les médias de résultats. En dix ans, Quinnipiac a été cité dans quelque 2 500 articles.

En 2000, l'université a dépensé 430 000 dollars pour conduire 44 sondages, dont 15 concernaient la candidature d'Hillary Clinton au Sénat.

Là où un sondage n'aurait été sans doute constitué qu'un coup d'épée dans l'eau, multiplier le nombre d'enquêtes apparaît comme un excellent investissement pour l'image de l'université. Les sondages ont mis Quinnipiac sur l'écran radar de millions d'étudiants potentiels, de parents et de conseillers d'éducation.

Si le concept de Quinnipiac fonctionne, ce n'est pas seulement grâce au volume de sondages effectués mais grâce aussi à leur répétition dans le temps, année après année. C'est ce qui a permis d'inscrire durablement les Sondages Quinnipiac dans l'esprit des prospects. (Cela dit, s'ils pouvaient quand même faire quelque chose pour ce nom de malheur.)

Un gros poisson dans une petite mare

L'expérience nous montre également comment certains établissements d'enseignement supérieur ont réussi à créer des marques (délibérément ou non) en suivant les principes-clés d'une stratégie de création de marque fondée sur les RP : créer une nouvelle catégorie dans laquelle on peut être le premier. La prestigieuse Harvard Graduate School of Business Administration est connue pour son enseignement du « management ».

On ne se bat pas contre Harvard en étant comme Harvard mais en étant différent de Harvard. Wharton, l'école de commerce de l'Université de Pennsylvanie, n'est pas la Harvard de Pennsylvanie. Wharton est l'établissement leader dans l'enseignement de la « finance », première école de commerce à préempter la catégorie finance.

Kellog, l'école de commerce de Northwestern University, n'est pas la Harvard de l'Illinois. Kellog est leader dans l'enseignement du « marketing », première école de commerce à préempter la catégorie marketing.

Il se trouve que ni Wharton ni Kellog ne sont des établissements spécialisés dans le domaine qui a fait leur réputation. Leurs étudiants ont accès à tous les programmes traditionnels d'une école de commerce mais leur image de leader sur un segment donné est un facteur de notoriété supplémentaire.

Thunderbird (nom officiel : American Graduate School of International Management) n'est pas la Harvard d'Arizona. Thunderbird est le leader des « études internationales », première école de commerce à avoir préempté la catégorie des études internationales.

L'université Pace et la communication

Nous avons eu l'occasion de rencontrer les dirigeants de Pace University, un établissement privé de Manhattan qui compte environ 10 000 étudiants. Manhattan est réputé pour quoi ? Trois choses : la finance, la mode et la communication. La finance, c'est Wharton. La mode, c'est le Fashion Institute of Technology (également situé à Manhattan). Reste donc la communication.

Pace University devrait se positionner comme l'école de la « communication ». Manhattan est le centre de communication du monde. ABC, CBS, le *New York Times*, le *Wall Street Journal*, *Time*, *Newsweek* et toute l'industrie de la presse magazine ou presque y ont leur QG. Quel meilleur emplacement pour une école de communication ?

Impossible, nous ont répondu les dirigeants de Pace. Ce que les étudiants attendent, c'est un éventail complet de cours. « Depuis près d'un siècle, la mission de Pace University est de créer des opportunités pour les fils et les filles de New York en leur apportant les meilleures connaissances et en les accompagnant dans leur travail », ainsi l'université définit-elle sa vocation.

Peut-être bien, mais la plupart des fils et des filles de New York ont aussi envie de faire leurs études dans une université prestigieuse dans l'espoir qu'une part de cette célébrité rejaillira sur eux.

16

Le tourisme dans la cour des marques

Le secteur du tourisme est l'un des plus gros annonceurs publicitaires. Compagnies aériennes, hôtels, loueurs de voitures mais aussi villes, états et pays dépensent des fortunes en pub pour vanter leurs charmes. Et nous, lorsque nous voyageons, nous découvrons bien souvent des trésors cachés de RP qui remplaceraient avantageusement toute cette publicité.

L'histoire du Guatemala

Prenez le Guatemala, par exemple. Que savent la plupart des Américains du Guatemala ? Pas grand-chose, sinon que c'est un pays pauvre d'Amérique Centrale. Ce qui n'incite pas vraiment à y aller.

Le Guatemala est un pays riche d'une longue tradition culturelle et de nombreux vestiges historiques. Le pays était le centre culturel des Mayas, la civilisation la plus avancée d'Amérique du Nord et d'Amérique du Sud avant l'arrivée des Espagnols. Aujourd'hui encore, 44 % des 13 millions d'habitants du Guatemala ont des origines Mayas. Et beaucoup parlent toujours les dialectes issus de la langue Maya.

Avec des chaînes de montagnes qui culminent à plus de 3 000 mètres d'altitude et une culture qui semble ne pas avoir changé depuis cinq siècles, le Guatemala est un paradis touristique. Le pays compte des centaines de ruines Mayas spectaculaires. Villes, temples, maisons, terrains de jeux témoignent de son passé glorieux.

Le Guatemala a tout ce dont une destination touristique mondiale peut rêver… tout, sauf des touristes. Peu de gens connaissent le pays ou s'y intéressent.

Une campagne de communication centrée sur la culture Maya pourrait attirer les touristes au Guatemala. Mais il y a un problème. Bien que le Guatemala ait été le cœur de la civilisation Maya, on trouve aussi des ruines mayas à Belize, El Salvador, dans l'ouest du Honduras et dans le sud du Mexique.

Autre difficulté, comment résoudre le problème de confusion ? Outre le Guatemala, Belize, El Salvador et le Honduras, l'Amérique Centrale est composée du Costa Rica, de Panama et du Nicaragua.

Comment, donc, conférer une réelle identité au pays ? En changeant son nom de Guatemala en Guatemaya. Ce changement résout les deux problèmes. Il préempte la position « civilisation Maya » et facilite la mémorisation du lien entre les Mayas et le pays qui compte le plus de vestiges de cette civilisation. (De manière accessoire, il résout aussi un troisième problème. En espagnol, *Mala* signifie « femme de mauvaise vie ».)

Une bonne stratégie de RP passe par une histoire, quelque chose à raconter. La réaction naturelle d'un journaliste sera de demander : Pourquoi avez-vous rebaptisé votre pays Guatemaya ?

Notre concept de Guatemaya a été bien accueilli par la communauté des affaires de Guatemala City. Certains pensent même que ce changement de nom permettrait de résoudre un problème politique, les habitants du pays qui parlent les dialectes mayas se sentant isolés de la majorité hispanophone. Peut-on penser que cela arrivera un jour ? Sans doute pas. On ne voit pas non plus beaucoup de quetzals passer par le chas d'une aiguille.

L'histoire du Pérou

Le Pérou lui aussi a un problème touristique. Ce pays d'Amérique Latine qui compte 27 millions d'habitants attire seulement 400 000 touristes par an. (Même la Colombie avec tous ses problèmes de drogue accueille quelque 2 millions de visiteurs chaque année.)

C'est d'autant plus étrange que le Pérou est le pays du Machu Picchu qui, avec le palais du Taj-Mahal et la Tour Eiffel, est l'une des trois destinations touristiques les plus célèbres du monde.

Pourtant, le déploiement d'une communication efficace pour le Pérou passe par l'abandon d'une stratégie exclusivement axée sur le Machu Picchu au profit de la promotion du pays dans son ensemble. Si la seule attraction de la France était la Tour Eiffel, combien de touristes le pays attirerait-il ? Pas beaucoup. La Tour Eiffel ne justifie pas à elle seule un voyage en France.

La même chose est vraie pour le Machu Picchu. C'est un site spectaculaire mais pas suffisamment pour justifier un voyage au Pérou.

Cela étant, tout pays a besoin d'une image phare, d'un symbole pour attirer des touristes. L'image phare de la France, c'est Paris. Quand vous allez à Paris, il y a beaucoup de choses à visiter, y compris la Tour Eiffel.

Quelle est l'image phare du Pérou ? Où est le Paris du Pérou ? C'est selon nous la ville de Cuzco. Quand vous allez à Cuzco, il y a beaucoup de choses à visiter, y compris le Machu-Pichu.

Le Pérou doit-il promouvoir Cuzco comme le « Paris du Pérou » ? Non. Le nom est épouvantable (il sonne comme un dessert italien ou pire) et sa notoriété mondiale est pour le moins limitée. Plus grave encore, il n'évoque rien de l'importance historique de cette ville de premier plan.

Que représente réellement Cuzco ? Cuzco était le centre de la culture Inca, le berceau des Incas, dans l'acception « roi » du mot *Inca* plutôt que dans son acception ethnique.

Le Pérou doit changer le nom de sa capitale pour refléter son héritage historique, le berceau des Incas. Notre proposition : Ciudad de las Incas.

Quand vous allez à Ciudad de las Incas, il y a beaucoup de choses à voir et à faire, y compris des excursions d'une journée sur des sites spectaculaires comme celui du Machu-Pichu.

Ciudad de las Incas et Guatemaya sont deux concepts qui ouvrent la porte à de multiples campagnes de RP et sont susceptibles de s'ancrer dans l'esprit du prospect. Il ne suffit pas qu'une campagne de RP génère des montagnes d'articles. Elle doit aussi viser à inscrire un attrait singulier dans l'esprit du prospect.

Le Pérou rebaptisera-t-il un jour sa capitale Ciudad de las Incas ? C'est peu probable. On ne voit pas non plus beaucoup de lamas passer par le chas d'une aiguille.

L'histoire de Panama

Panama, cet autre pays d'Amérique Centrale, est surtout connu pour son canal ; c'est un pays très pauvre, avec un PIB par habitant de seulement 7 300 dollars. Quel pourrait être le concept RP de Panama ?

À notre sens, Panama pourrait se positionner comme le premier « pays de libre-échange » du monde. Grâce au Canal de Panama, le pays est un carrefour de rassemblement et de distribution idéal pour expédier des produits aux quatre coins du monde. Bien que Panama dispose de zones franches, ses tarifs douaniers sur les importations sont parmi les plus élevés d'Amérique Latine puisqu'ils se situent dans une fourchette de 3 à 50 % (contre 5 à 20 % pour le Mexique par exemple).

Mais les tarifs douaniers ne relèvent-ils pas de la sphère politique ? Si, bien entendu, mais on ne peu isoler la communication et les RP de la politique.

Et on ne peut pas non plus isoler les RP du marketing. Le client qui dit, « Nous nous occupons du marketing, vous vous occupez des RP » se prive de la contribution la plus importante des RP : changer certains aspects du produit ou du service pour renforcer son intérêt médiatique.

Les entreprises conçoivent des produits pour satisfaire les consommateurs. Elles prennent rarement en compte les besoins des médias. Pourtant, si un nouveau produit ne recueille pas un certain succès médiatique, il y a peu de chances qu'il soit une réussite commerciale.

Nous avons rarement travaillé avec des clients sur des projets marketing sans leur suggérer des changements. Parfois petits, parfois très importants. Et la réussite future du produit dépendait plus directement de ces modifications stratégiques que de toute l'aide tactique que nous pouvions leur apporter.

Si vous avez la bonne stratégie, vous pouvez faire beaucoup d'erreurs tactiques et réussir quand même. En revanche, si votre stratégie est mauvaise, vous aurez beau être un génie tactique, vous échouerez.

Quand une ville devient marque : l'exemple de Sydney

Nous avons rencontré l'équipe de promotion touristique de la ville de Sydney peu de temps avant les Jeux Olympiques de septembre 2000.

Le monde aura les yeux braqués sur vous, avons-nous souligné. C'est le moment idéal pour lancer une campagne de RP pour la promotion de Sydney.

C'est quoi, Sydney ? Si l'on peut répondre à cette question d'un seul mot ou d'un seul concept, alors les Jeux Olympiques constituent une occasion unique d'en distiller l'idée auprès des millions de gens qui les regarderont et des milliers de journalistes qui couvriront l'événement.

Les villes ont besoin d'une identité distincte de celle du pays dans lequel elles sont situées. Paris est la « Ville des Lumières », New York est « Big Apple ». Rome est la « Ville Eternelle ». Et Sydney ?

Nous avons retenu quatre critères pour définir le positionnement de Sydney :

Le concept doit permettre de positionner Sydney comme une ville « d'envergure internationale », à l'instar de Londres, Paris, Rome, New York et Hong Kong.

Le concept doit avoir une dimension authentique. Les gens qui connaissent Sydney doivent se dire en entendant le thème, « Oui, c'est exactement ça, Sydney ».

Le concept doit comporter une allitération du mot Sydney. De la sorte, le concept devient plus facile à mémoriser.

Le concept doit être cohérent avec le symbole de la ville, l'Opéra de Sydney, l'un des cinq bâtiments les plus reconnus du monde. (On ne peut faire table rase de ce qui est déjà ancré dans les esprits.)

Un seul concept satisfaisait à ces quatre critères. Il est aussi simple qu'évident. Et grâce aux Jeux Olympiques de 2000, il aurait pu être inscrit dans l'esprit de millions de personnes à un coût très faible.

« Sydney, the world's most sophisticated city » (Sydney, la ville la plus raffinée du monde).

Si vous êtes déjà allé à Sydney, vous savez que ce thème sonne juste. Vous pourriez éventuellement nous objecter que l'Australie, avec sa cambrousse et son Crocodile Dundee, ne colle guère à cette image de sophistication. Et c'est vrai.

Mais New York City n'est pas l'Amérique. Et Sydney n'est pas l'Australie. Sydney est une deuxième marque et comme toutes les bonnes deuxièmes marques, elle doit être totalement déconnectée de la marque originelle.

Traiter l'Australie comme une méga-marque, une master-marque ou une super-marque, c'est diluer le positionnement d'une marque singulière jusqu'à le rendre illisible. Le *megabranding* transforme des marques puissantes en « une Chevrolet parmi d'autres ».

Sur une carte, Sydney est en Australie. Mais dans les esprits, « Sydney » et l'« Australie » sont deux endroits différents. Sydney est raffinée. L'Australie ne l'est pas. Manhattan n'est pas Peoria.

Une marque pour un État

Nous avons travaillé avec l'état du Missouri pour élaborer une stratégie de promotion du tourisme. Le Minnesota a les lacs (Le pays des 10 000 lacs). Le Montana a le ciel (Le pays du grand ciel). Que peut donc avoir le Missouri ?

Nous avons décidé que ce qui distingue le Missouri de tous les autres états, c'est sa situation à l'intersection de deux fleuves mythiques du pays : le Missouri et le Mississippi. Au sens littéral, le Missouri est « l'État des fleuves ».

Mais comment amener les médias à le dire ? Pas facile. Nous avons proposé une course de canoë depuis la source du fleuve Missouri (dans l'état du Montana) jusqu'à Saint-Louis, là où le Missouri se jette dans le Mississippi.

Il se trouve que c'est également le trajet suivi (dans l'autre sens) par l'expédition Lewis et Clark en 1804. L'occasion pour les médias de couvrir non seulement la course de canoë mais aussi le célèbre voyage de Lewis et Clark. (Ce que les Jeux Olympiques de 2000 auraient pu faire pour Sydney, le bicentenaire de l'expédition de Lewis et Clark en 2004 pourrait le faire pour l'état du Missouri.)

Les vainqueurs, cela va sans dire, recevraient leurs trophées sous le Gateway Arch, qui domine à la fois le Mississippi et le Missouri au cœur de Saint-Louis.

Si vous voulez inscrire le mot « fleuve » dans l'esprit du public, vous devez d'abord l'installer dans celui des journalistes. Et vous devez aussi être le premier à le faire.

La Silicon Valley, à San Jose en Californie, est célèbre pour être le berceau de l'industrie des hautes technologies aux États-Unis. Pas moins de 70 endroits ont essayé de récupérer des miettes de sa célébrité en reprenant son nom : Silicon Beach (Floride), Silicon Alley (New York), Silicon Bayou (Louisiane), Silicon Mountains (Colorado Springs), Silicon Forest (Seattle), Silicon Hills (Austin), Silicon Mesa (Albuqerque) et Silicon Desert (Phoenix) pour n'en citer que quelques-unes.

De quel Silicon vous souvenez-vous ? Silicon Valley, bien sûr. Toute marque exige un nom qui ne soit qu'à elle et ce n'est pas en parasitant le nom de quelqu'un d'autre qu'elle deviendra célèbre.

17

Quand les alcools font leur marque

Il y a des exceptions au principe général « les RP créent les marques, la publicité entretient les marques ». Altoids en est une. De même que Marlboro et Absolut. La publicité du « cow-boy » Marlboro a rendu célèbres les cigarettes Marlboro. La campagne « bouteille » d'Absolut a rendu célèbre la vodka Absolut.

Si la publicité peut créer des marques comme Altoids, Absolut et Marlboro, pourquoi la publicité ne pourrait-elle pas créer votre marque ? C'est une excellente question… tout comme la réponse, d'ailleurs. Les marques de bonbons, de cigarettes et d'alcool n'ont que rarement les faveurs des médias. Il y a beaucoup de tapage autour du fait qu'il ne faut pas manger de bonbons, pas fumer et pas boire d'alcool mais les marques de bonbons, de cigarettes et d'alcool ne font quasiment jamais l'objet d'articles.

« Marlboro lance sa nouvelle cigarette, la Marlboro Medium », est un titre que vous ne lirez jamais dans votre quotidien. Dans les médias aussi, les cigarettes sont le baiser de la mort.

Même chose pour les boissons alcoolisées. À l'exception peut-être du Jack Daniel's, la répugnance des journalistes à faire l'apologie de l'alcool laisse une opportunité à la publicité de tenir le premier rôle dans le lancement d'une marque d'alcool. Le lancement de la Vodka Absolut en 1980 en est un exemple classique. Une bouteille différente, un nom différent et une publicité différente ont fait entrer l'Absolut dans le vocabulaire de l'amateur de vodka. « Absolut perfection » disait la première pub, avec une auréole au-dessus de la bouteille.

Mais qu'on ne s'y trompe pas : c'est aussi sa stratégie qui a permis le succès de Absolut. Grâce à un positionnement haut de gamme, la vodka russe Stolichnaya avait réussi à grignoter des parts de marché à Smirnoff, leader du marché de la vodka depuis de longues années. Mais le début des années 1980 allait marquer l'apothéose de la guerre froide et Stolinchnaya retira, bien inconsidérément, son épingle russe du jeu, laissant une place libre pour un produit suédois. Sans compter que Stolinchnaya n'est pas précisément un nom facile à prononcer, surtout après deux ou trois vodka-orange.

La marque de vodka Skyy, pour sa part, réussit à trouver un moyen d'utiliser les RP. Invention personnelle de Maurice Kanbar, le concept de Skyy renvoie à un processus de distillation en quatre phases qui rend la vodka (80°) tellement pure qu'elle élimine la gueule de bois ; c'est en tout cas ce qu'affirme la marque.

Le moment magique de Skyy a été un article en première page de la section « Entreprises et Marchés » du *Wall Street Journal* du 31 octobre 1994 : « La vodka anti-gueule de bois fait tourner les têtes ». Skyy est devenu la deuxième marque de vodka haut de gamme la plus vendue des États-Unis, derrière Absolut. Les ventes de Skyy sur le marché américain s'élèvent aujourd'hui 1,4 million de caisses par an.

Créer une marque de vin

Le marché américain du vin illustre lui aussi le lien entre la publicité et les relations publiques. Dans le passé, lorsque les médias ne s'y intéressaient pas beaucoup, il était possible de créer une marque de vin grâce à la publicité. Gallo, Almaden, Inglenook, Taylor et Paul Masson (« Nous ne buvons aucun vin avant son heure ») sont quelques-unes des marques nationales à avoir orchestré de grandes campagnes publicitaires.

Du côté des marques importées, le leader était Riunite, un Lambrusco italien (« Riunite on ice. It's nice »). Soutenu par une campagne de spots télé, Riunite a atteint le sommet de la vague en 1984, vendant cette année-là 11 millions de caisses. Cella, Giaccobazzi, Folonari, Mateus et Yago Sant'Gria étaient également de gros annonceurs.

Blue Nun, pour sa part, s'est fait un nom grâce à la radio. Sa campagne de spots réunissant Jerry Stiller et Anne Meara a permis à la marque d'accaparer un tiers du marché américain des vins de table allemands. En neuf ans, les ventes ont été multipliées par plus de dix, à 1,2 million de caisses par an.

Mais lorsque les médias ont commencé à s'intéresser au vin, Lambrusco et Blue Nun ont été distancés par le chardonnay et le sauvignon blanc. Voilà que les journalistes commentaient les mérites relatifs des millésimes, des propriétés et des cépages. Les marques qui faisaient beaucoup de publicité ont été prises sous le feu croisé des journalistes et n'y ont pas resisté.

Le vin est entré dans l'ère des RP. Riunite et Gallo ont cédé la place à Robert Mondavi et Robert Parker Jr. La revue de Parker, *The Wine Advocate*, dont toute publicité est bannie, fait la pluie et le beau temps dans le secteur. Ce sont aujourd'hui les journalistes, et surtout Robert Parker, qui font les vins.

Robert Parker goûte 10 000 vins par an et ses papilles gustatives donnent le ton dans le monde entier. Les prix flambent ou s'effondrent au rythme de ses jugements. Les mauvais vins sont notés dans les 70, les vins corrects dans les 80 et les très bons vins dans les 90.

« Un vin est-il adoubé par Robert Parker, pouvait-on lire dans le *New York Times Magazine*, que collectionneurs et amateurs se bousculent pour acheter tout ce qu'ils peuvent. » (Avant, les amateurs de vin buvaient l'étiquette. Maintenant, ils boivent le chiffre.)

On ne peut pas lutter contre une note de 75 avec une campagne de publicité. Et la publicité est parfaitement étrangère à la célébrité de Robert Parker lui-même. Il a prédit que 1982 serait l'un des plus grands millésimes de l'histoire du Bordeaux. Ce qui s'est vérifié. Le tapage médiatique qui s'en est suivi a élevé Robert Parker et sa revue au rang de vedettes.

Bien sûr, certaines marques de vins ont réussi à échapper au radar de Parker et se sont fait un nom grâce à des campagnes de publicité en presse imprimée. Pour la plupart, toutefois, il s'agit de vins bon marché qui s'adressent à des consommateurs non avertis. (Arbor Mist, Turning Leaf et Woodbrige par exemple.)

Robert Mondavi Corporation offre un autre exemple de *success-story* RP. En 1966, Robert Mondavi et son fils aîné Michael ont construit en Californie le premier établissement viticole depuis la prohibition. (Etre le premier est l'appât à journalistes par excellence.)

La clé du succès de la société est son fondateur Robert Mondavi lui-même. Aujourd'hui âgé de 88 ans, il est un promoteur infatigable du vin avec un seul thème : les vins de Californie font partie de l'aristocratie des vins. *USA Today* a baptisé Robert Mondavi la « vedette de l'industrie du vin ».

La société de Mondavi est entrée en bourse en juin 1993, ce qui est toujours une bonne idée pour faire parler de soi. Mais la meilleure idée de communication de la marque, c'est Robert Mondavi lui-même. Toute société a besoin d'un porte-parole. On n'interviewe pas une bouteille de vin ni une marque de quoi que ce soit. Et lorsque le porte-parole a le même nom que la société, le potentiel médiatique est multiplié par deux.

En Amérique, les médias font la pluie et le beau temps du vin. À l'heure actuelle, ce sont les vins australiens qui ont le vent en poupe : ils ont conquis 11 % du marché américain. Et le Shiraz est le chouchou de ces messieurs dames. « Vin, ça rime avec Australien », titrent les journaux.

De fait, quelques articles suffisent parfois à créer de véritables raz-de-marée. Un dimanche soir de 1991, Morley Safar a consacré une chronique au « paradoxe » des Français dans l'émission *60 minutes* sur la chaîne CBS. Les Français et les habitants des pays méditerranéens mangent des aliments plus gras que les Américains, fument et boivent plus que les Américains, et pourtant leurs artères et leurs cœurs sont en meilleure santé que les nôtres. Pourquoi ? Parce que, a expliqué Morley Safer, ils boivent du vin rouge. Depuis lors, les ventes de vin rouge n'ont cessé d'augmenter.

La création d'une marque de Cooler

Il fut un temps où les marques de *coolers*, ces boissons américaines composées d'un mélange de vin, de jus de fruit et d'eau gazeuse, étaient de gros annonceurs publicitaires. À commencer par California Cooler dont les spots télé « décalés » laissaient entendre que le breuvage était fait pour les maniaques de la plage et de la bronzette. Ce fut ensuite au tour de Bartles & Jaymes de faire leur apparition sur le petit écran avec une campagne – primée – mettant en scène Frank (Bartles) et Ed (Jaymes). Les deux vieux beaufs achevaient chaque spot avec la même modeste accroche : « Merci de votre soutien. »

Sur la seule année 1986, Gallo dépensa quelque 30 millions de dollars pour la publicité Bartles & Jaymes. Canandaigua dépensa 33 millions de dollars en publicité pour son *cooler* Country Classic avec Ringo Starr en porte-parole de la marque. Seagram dépensa aussi des millions pour son Golden Wine Cooler, versant à Bruce Willis près de 5 millions de dollars pour vanter les mérites du produit.

Las ! 1986 marqua l'apogée des ventes de *coolers*. Pris sous le feu d'une presse défavorable, le soufflé retomba. En 1992, les ventes avaient chuté de 50 % par rapport à 1986. Et la dégringolade se poursuit.

18

L'ingrédient manquant

L'ingrédient qui manque à la plupart des campagnes de relations publiques est le porte-parole vedette. Les produits ne créent pas d'intérêt médiatique. Les gens, oui. Les journalistes ne peuvent interviewer une voiture, une miche de pain ou une canette de bière. Seulement des êtres vivants.

Pourtant, un grand nombre de programmes de relations publiques sont focalisés sur la société et le nouveau produit ou service qu'elle lance sur le marché. Les communiqués de presse comportent certes souvent des citations de diverses personnes travaillant ou non pour l'entreprise, mais ils se concentrent rarement sur un individu unique. « Nous refusons d'accorder tout le crédit de ce produit merveilleux à une seule personne, nous rabâche-t-on. C'est le fruit du travail de toute une équipe. »

En matière de relations publiques, parler de travail d'équipe ne rime à rien. NBC, CBS et ABC ne peuvent (ni ne souhaitent) interviewer une équipe. Ce qui les intéresse, c'est l'individu qui a permis au merveilleux nouveau produit de voir le jour.

Le porte-parole est le visage et la voix de la marque. Le succès de toute campagne de RP dépend en dernier recours, pour une large part, de l'efficacité de son porte-parole… qu'il importe donc de choisir avec le plus grand soin.

Qui fait le meilleur porte-parole ? Le PDG, dans la plupart des cas. Il est celui qui porte l'essentiel de la responsabilité du succès ou de l'échec de la marque.

Les sociétés de hautes technologies sont sans doute celles qui ont le mieux compris ce principe de RP. Toutes les sociétés de hautes technologies ou peu s'en faut ont un porte-parole qui est presque aussi célèbre que la société elle-même.

- Bill Gates et Microsoft
- Larry Ellison et Oracle
- Scott McNealy et Sun Microsystems
- Lou Gestner et IBM
- Steve Jobs et Apple Computer
- Tom Siebel et Siebel Systems
- Andy Grove et Intel
- Michael Dell et Dell Computer

Dans le secteur des hautes technologies, si votre PDG n'est pas célèbre, il est peu probable que votre société le devienne jamais et réussisse à se faire une place au soleil.

Et si votre PDG, me direz-vous, n'est pas un bon communiquant ? Vous avez, fondamentalement, besoin d'un nouveau PDG. En termes plus concrets, une société dotée d'un PDG falot devrait s'efforcer de choisir une autre personne qui finira par jouer ce rôle et en faire son porte-parole.

Les relations publiques sont tellement importantes pour la réussite durable d'une entreprise et de ses marques que tout PDG doit être prêt à y consacrer pas moins de la moitié de son temps. Nous sommes entrés dans l'ère des relations publiques, une nouvelle donne qui concerne autant le PDG que le reste de l'organisation.

Songez aux grandes réussites d'hier et vous constaterez que nombre de ces marques doivent leur succès aux relations publiques et aux porte-parole charismatiques qui les ont emmenées.

- Richard Branson et la compagnie aérienne Virgin Atlantic
- Ted Turner et CNN
- Howard Schultz et Starbucks

- Anita Roddick et The Body Shop
- Donald Trump et l'empire Trump
- Martha Stewart et son magazine, son émission de télévision et sa ligne de produits
- Oprah Winfrey et son magazine et son émission de télévision

Des vedettes du fast-food

Ce qui est vrai pour les hautes technologies l'est également pour le secteur de la restauration rapide. Nombre de grands noms du fast-food doivent leur réussite à de bonnes campagnes de RP conduites par des porte-parole vedettes.

- Le Colonel Sander et Kentucky Fried Chicken
- Ray Croc et McDonald's
- Dave Thomas et Wendy's
- Tom Monaghan et Domino's Pizza
- John Schnatter et Papa John's
- Debbie Fields et Mrs Field Cookies

L'un des problèmes de Burger King, l'un des nombreux problèmes de Burger King, est que la marque n'a pas de porte-parole fort. Jeffrey Campbell était bien parti pour remplir ce rôle jusqu'à ce qu'il quitte l'entreprise dans le sillage du désastre « Herb ».

Herb, la seule personne en Amérique qui n'a jamais mangé de Whopper, incarne le genre de publicité « décalée et folle » qu'affectionnent les créatifs. Mais Herb a dépassé les bornes et a été descendu en flèche par tout le monde.

Le phénomène se vérifie également dans la restauration traditionnelle. Il est inenvisageable d'ouvrir un restaurant de luxe sans faire appel à un chef célèbre. Pas pour attirer les clients, mais pour attirer l'attention des médias. (Comment le client peut-il savoir que tel restaurant a un chef connu si les médias n'en parlent pas ?) Charlie Trotter, Wolfgang Puck, Alain Ducasse, Daniel Boulud, Emeril Lagasse, Roy Yamaguchi et Jean-Georges Vongerichten sont quelques-uns des grands chefs qui ont rendu leur restaurant célèbre.

Les grands restaurants font très peu ou pas de publicité du tout. Si la presse ne parlait pas d'eux, ils n'auraient pas de clients. Ce qui ne signifie pas faire parler de soi en permanence. C'est comme un feu. Vous avez besoin d'une étincelle médiatique pour allumer la première flamme. Une fois que le feu crépite, une fois qu'un établissement possède un nombre significatif de clients réguliers, le bouche à oreille suffira à entretenir la flamme longtemps sans relais médiatiques.

Des vedettes de la finance

Autre réussite médiatique spectaculaire, Charles Schwab qui a lancé la première société de courtage discount. Etre le premier dans une nouvelle catégorie et avoir le même nom que celui de l'entreprise est un cocktail d'enfer. Charles Schwab & Co est parvenu au sommet porté par un torrent d'articles sur les avantages (et les inconvénients) des brokers discount.

N'oubliez jamais que les journalistes sont aussi des gens comme vous et moi. Lorsqu'ils consacrent un article ou une émission à une entreprise, c'est que celle-ci est déjà connue. La dernière chose au monde qu'ils ont envie de faire est de rendre votre société célèbre.

Ce dont les journalistes ont envie de parler, c'est d'idées nouvelles et de nouveaux concepts comme les sociétés de courtage à prix réduits et les nouveaux établissements viticoles de Californie. La société inconnue (ce qui était le cas de Charles Schwab quand la société a été créée) bénéficie en fait d'articles qui portent en général sur tout autre chose. C'est en développant des stratégies qui profitent de ce truisme que l'on alimente l'usine des médias. Vous ne faites pas la promotion de votre marque ou de votre entreprise. Vous faites connaître une idée nouvelle ou un concept innovant dont vous êtes le pionnier. Et dans le processus, votre société aussi devient célèbre.

En 1946, Henry et Richard Bloch ont créé la United Business Company à Kansas City. La jeune entreprise proposait aux entreprises des services de comptabilité, recouvrement, gestion et fiscalité. Une petite société vendant de tout sous un nom générique comme United Business Services n'a quasiment aucune chance que la presse s'intéresse un jour à elle.

Jusqu'à ce que, neuf ans plus tard, les frères Bloch prennent la décision qui a fait entrer leur société dans l'histoire du marketing. Ils ont décidé de restreindre leurs activités à un seul service, la préparation des déclarations fiscales. Ils ont également décidé de changer le nom de la société en H & R Block. (Ils ne voulaient pas que les clients prononcent le nom « blotch » – tache.)

Deux décisions géniales. H & R Block est devenue la première société spécialisée dans la préparation des déclarations fiscales au niveau national, une première qui a ouvert le robinet des médias pour ne plus jamais le fermer. Tous les ans aux environs du 15 avril qui les journalistes appellent-ils pour avoir des commentaires sur les impôts sur le revenu ? H & R Block, bien sûr. Pas seulement la société, mais Henry et Richard en personne.

Quand c'est votre nom qui est sur la porte, vous avez de la crédibilité auprès des médias. C'est une pratique dont nous sommes de fervents partisans. Se cacher derrière un attaché de presse est un comportement que de moins en moins de PDG pourront se permettre. Certains dirigeants avec lesquels nous avons travaillé s'inquiètent des conséquences juridiques d'un changement de nom, comme celui des frères Bloch. Dossiers de sécurité sociale, déclarations d'impôts, permis de conduire, etc.

Inutile de vous préoccuper de toutes ces choses. Contentez-vous d'utiliser le nouveau nom comme un pseudonyme et n'entreprenez surtout pas de faire refaire tous vos papiers. En d'autres termes, soyez Block au bureau et Bloch à la maison.

Des vedettes de la pizza

L'histoire des entreprises qui ont réussi est émaillée d'exemples similaires. Des entreprises qui ont restreint leur cible afin de pouvoir être les pionnières d'une nouvelle catégorie. Et ont connu la réussite grâce à une couverture médias favorable, généralement portée par le fondateur.

À l'origine de Domino's Pizza, Tom Monaghan vendait des pizzas et des sandwichs dans sa boutique et livrait des pizzas. Il abandonna les sandwiches et renonça à sa boutique pour devenir une chaîne de livraison de pizzas.

En soi, le fait de livrer des pizzas n'avait rien de révolutionnaire – et n'était donc guère susceptible d'intéresser les médias – la plupart des restaurants italiens traditionnels le faisant déjà. Ce dont s'est emparée la presse, c'est du fait que Dimono's Pizza était la première chaîne de pizzas à pratiquer exclusivement la livraison à domicile. C'était une idée nouvelle et les journalistes en ont fait leurs choux gras.

Au moment du lancement de Little Caesars, Michael et Marian Ilitch vendaient des pizzas, des crevettes frites, des *fish and chips* et du poulet rôti. Ce n'est qu'après avoir recentré leur concept sur les pizzas, et en particulier les pizzas à emporter, qu'ils ont développé leur notoriété de restaurant bon marché. (Deux pizzas pour le prix d'une.)

Au moment du lancement de Papa John's, John Schnatter vendait des pizzas, des sandwiches au fromage, des champignons frits, des aubergines frites, des salades et des rondelles d'oignons frites. Ce n'est qu'après avoir recentré son concept sur la pizza que les activités de la chaîne ont réellement commencé à se développer. Mais la décision clé qui a conduit à la croissance de Papa John's a été de centrer la communication de la marque sur la qualité supérieure des ingrédients. « De meilleurs produits. De meilleures pizzas. »

Cette stratégie a valu à la marque une importante couverture médiatique et… un procès intenté par Pizza Hut, qui a entretenu l'intérêt des médias pendant de nombreuses années. Rien ne vaut un bon différend pour éveiller l'intérêt des journalistes.

Créer sa marque « Moi »

Les relations publiques personnelles connaissent un développement sans précédent. Si vous voulez faire votre chemin dans une grande entreprise aujourd'hui, vous devez être « visible ». Comment y parvient-on ? En lançant une campagne de pub ? Évidemment non.

Vous y réussirez grâce aux relations publiques personnelles. Discours repris dans la presse professionnelle. Editoriaux que vous écrivez. Citations que les journalistes reprennent dans leurs articles.

Dans le secteur de l'éducation, la notoriété de certaines institutions a été le fait d'un petit nombre d'individus reconnus. Michael Porter à la Harvard Business School. Philip Kotler à la Kellog Business School de Northwestern University.

Quand vous lancez une nouvelle entreprise dans le secteur de la mode, il est presque indispensable d'associer à la marque un styliste vedette. Coco Chanel, Christian Dior, Yves Saint-Laurent, Gianni Versace, Calvin Klein, Ralph Lauren, Tommy Hifiger, par exemple.

Prenez le succès de l'acteur et musicien Sean Combs et de sa société de vêtements, Sean John. Créée il y a deux ans, la société réalise aujourd'hui un chiffre d'affaires annuel de plus de 200 millions de dollars. Pas de publicité, bien entendu, mais Sean Combs n'a pas ménagé ses efforts en matière de RP et de promotion, ainsi du lancement de sa dernière collection dans la grande salle des banquets du prestigieux restaurant italien Cipriani à Manhattan, un événement qui a fait la couverture du *New York Times* et a coûté à la société 1,24 million de dollars. La légende veut que les cartons d'invitation aient coûté 60 dollars pièce.

19

Le piège des extensions de gamme

Ceux qui sont familiers de nos livres savent que nous nous sommes toujours prononcés très fermement contre les extensions de gamme. Pour toutes les raisons que l'on sait mais aussi parce qu'elles font fuir les médias.

Pour un journaliste, une extension de gamme résonne comme un produit « me-too ». Les médias ne sont pas intéressés par votre version du produit révolutionnaire de quelqu'un d'autre. Ils ne feront attention à vous que si vous avez vous-même un produit révolutionnaire. Quelques exemples :

- Palm, le premier ordinateur de poche
- BlackBerry, le premier appareil sans fil pour envoyer et recevoir des emails
- Le lecteur Zip, le premier système de stockage externe à grande capacité pour les ordinateurs personnels.

Ces trois produits pionniers ont suscité des torrents d'articles qui ont contribué à faire de ces marques les leaders de leur secteur.

Comparons par exemple Fat Free Fig Newtons et SnackWell's, le premier biscuit sans matières grasses. Les deux produits ont été lancés par Nabisco en 1992 mais SnackWell's a provoqué un raz-de-marée médiatique alors que Fat Free Fig Newtons, l'extension de gamme, a été littéralement ignoré par les journalistes.

Grâce aux médias, SnackWell's a fait un tabac et, trois ans après son lancement, les ventes du produit dépassaient la barre des 600 millions de dollars. En 1995, SnackWell's était l'un des dix produits d'épicerie les plus vendus du marché.

Les ventes, hélas, ont dégringolé presque aussi vite, pour chuter à 134 millions de dollars six ans plus tard. Pourquoi ? Nabisco a adjoint à la marque une kyrielle d'extensions de gamme (dont aucune n'a beaucoup intéressé les médias), reproduisant l'erreur déjà commise avec la marque Fig Newtons. Parmi les extensions, on trouvait même des biscuits et des crackers qui n'étaient pas allégés, semant la confusion dans l'esprit des consommateurs.

Faire parler de vous ne suffit pas. Encore faut-il faire parler de vous de la bonne manière.

Il fut un temps où tout valait mieux que d'être ignoré par les médias. C'était vrai lorsqu'il n'y avait que quelques marques sur le marché et que la notoriété de la plupart des marques restait faible. Aujourd'hui, des centaines, sinon des milliers, de marques jouissent de scores de notoriété proches de 90 %. (Jetez donc un coup d'œil au classement Interbrand des cent marques mondiales les plus valorisées depuis Coca-Cola, le numéro 1, jusqu'à Benetton, dernier de la liste. Nous mettons notre main à couper que vous connaissez toutes les marques et que vous savez également ce que chacune incarne.)

New Coke a la poisse

Toutes les extensions de gamme ne sont pas nécessairement des désastres en termes de RP. Certaines extensions de gamme peuvent avoir les honneurs de la presse et faire un four au niveau commercial.

Lorsque Coca-Cola Company a lancé le New Coke, les journalistes se sont rués sur l'événement. L'agence de RP de Coca de l'époque a estimé que le lancement du New Coke avait engendré l'équivalent d'un milliard de dollars de « publicité » gratuite.

L'agence de RP voulait peut-être parler de monnaie de singe. Car pas une seule ligne de texte ni une seule image télé n'a rapporté un pet de lapin à la marque Coca-Cola. Toute cette « publicité » gratuite a bien failli détruire la marque.

Moins de trois mois plus tard, Coca-Cola reconnaissait son erreur et faisait marche arrière à vitesse grand V.

Pourquoi est-ce qu'aucun collaborateur de l'agence de RP de Coca n'a dit « Attendez un peu. Ce qui compte, c'est le Coca. Sa formule a tellement de valeur qu'elle est enfermée dans un coffre fort dans une banque d'Atlanta sous le nom de code 7X. Et vous voulez changer la formule ? Et pourquoi pas lancer un nouveau Dieu, tant que vous y êtes ? »

Peut-être quelqu'un l'a-t-il fait. Mais notre sentiment est que l'agence de RP était tellement fascinée par le potentiel de retombées médiatiques de New Coke qu'elle a oublié de réfléchir à la position de la marque dans l'esprit des consommateurs.

La mésaventure du PC d'IBM

Si le lancement du New Coke en avril 1985 a engendré un milliard de dollars de publicité gratuite, alors le lancement du PC d'IBM en août 1981 était bon pour 2 milliards de dollars de publicité gratuite. Une autre erreur stratégique.

L'IBM PC constituait aussi une exception à la règle générale que les extensions de gamme refroidissent les journalistes. Ce qui a allumé le feu médiatique, c'est le fait que le PC d'IBM était le premier ordinateur personnel 16 bits lancé sur le marché de l'informatique de bureau. Cette évolution technologique était tellement importante qu'elle a éclipsé le manque d'envergure du nom.

En comparaison, l'Apple IIe, le Commodore Pet, le Radio Shack TRS-80 et tous les autres ordinateurs personnels du marché à l'époque étaient des machines 8 bits destinées aux particuliers.

L'impact du lancement du PC IBM fut considérable. En janvier 1993, l'ordinateur fut désigné « Machine de l'année » par le magazine *Time*. Pour la première fois, le magazine décernait son trophée d'Homme de l'Année à un objet.

Vingt ans plus tard, en 2001, le vingtième anniversaire du lancement du PC IBM réunissait une foule de stars et de célébrités, à commencer par Bill Gates, et engendrait des millions de dollars de publicité gratuite. Dans les annales de l'histoire des RP, le lancement du PC d'IBM brillera au même firmament que celui du photocopieur Xerox 914 et de l'appareil de photo Polaroïd Land. Sauf pour une chose.

Xerox et Polaroid ont continué leur chemin et sont devenues de grandes marques. Le PC n'a rien apporté à la marque IBM sinon des pertes financières toujours plus importantes et son retrait du marché des ordinateurs personnels de bureau. Un phénomène que l'on observe souvent avec les extensions de gamme.

À votre avis, l'agence de RP d'IBM a-t-elle préconisé de lancer le PC sous une nouvelle marque ? C'est peu probable. Mais c'est très précisément l'enjeu stratégique auquel devront faire face les agences de RP de demain.

Ne comptez sur aucune aide de la part de l'agence de publicité du client. En général, les agences de pub aiment bien les noms d'extension de gamme parce que cela implique qu'elles vont garder le budget. Un nouveau nom de marque signifie souvent que le client a aussi décidé d'engager une nouvelle agence.

À quoi conduisent les extensions de gamme ? Lorsque vous élargissez votre gamme pour lui adjoindre des produits hétérogènes, comme IBM l'a fait avec le PC, l'identité de la marque se brouille. Vous ne pouvez ni faire de la publicité ni engager d'action de RP pour la « gamme » puisque les produits qui la composent n'ont rien de commun sinon un nom de marque. Vous n'avez donc d'autre choix que de faire de la pub ou des RP pour « l'extension ». Ce qui est source de confusion. C'est quoi un IBM ? Une unité centrale ou un ordinateur personnel ?

Les victoires des voitures japonaises

Considérons les stratégies des trois grands constructeurs automobiles japonais Toyota, Honda et Nissan lorsqu'ils ont souhaité introduire sur le marché des voitures plus chères et plus grosses que les petits modèles d'entrée de gamme qui ont fait leur réputation.

Est-ce que Toyota a lancé la « Toyota GV » (pour « grosse voiture ») ? Est-ce que Honda a lancé la Honda Super ? Nissan la Nissan Ultra ? Non, les trois constructeurs japonais ont lancé de nouvelles marques : Lexus, Acura et Infiniti.

Ces trois nouvelles marques ont bénéficié d'une presse favorable au moment de leur lancement. Et toutes les trois ont été des succès sur le marché américain.

Lexus, en particulier. Aujourd'hui, Lexus est la marque de voitures de luxe la plus vendue aux États-Unis, devant Mercedes-Benz, BMW, Lincoln et Cadillac.

D'après vous, comment s'en serait sortie la marque « Toyota GV » face à des concurrents comme Mercedes-Benz, BMW, Lincoln et Cadillac ? Pas très bien. Choisir un nom porteur est votre décision marketing la plus importante. Parce qu'un nom porteur et qui sonne bien engendre une presse favorable et des perceptions favorables dans l'esprit des prospects.

Un mauvais nom vous conduit tout droit dans le mur.

Le chemin qui mène au désastre est semé d'améliorations

Plus vous accrochez de produits à un nom de marque, plus le nom de marque s'affaiblit.

Au début des années 1980, au moment du lancement de son PC, IBM était la société la plus puissante du monde. Celle qui gagnait le plus d'argent et qui avait la meilleure réputation. Aujourd'hui pourtant, le PC d'IBM ne fait guère plus que de la figuration, avec seulement 6 % du marché des ordinateurs personnels.

Cela étant, IBM est une exception. La puissance de la société et la puissance de la marque IBM ont maintenu ses espoirs en vie sur le marché des ordinateurs personnels.

Lorsqu'une extension de gamme est associée à une marque plus faible, les résultats sont encore pires. Que sont devenus les ordinateurs personnels fabriqués par AT & T, ITT, Texas Instruments, Atari, Timex et Mattel ? Disparus tous autant qu'ils sont, tués par leurs noms d'extension de gamme.

(Si vous croyez aux extensions de gamme, ce qui est le cas de nombreux professionnels du marketing, posez-vous donc la question suivante : quels arguments pourrais-je réunir pour convaincre Toyota de remplacer la marque Lexus par la marque Toyota ? Même après toutes ces années, nous savons ce que nous dirions aux dirigeants d'IBM pour essayer de les convaincre de commercialiser leur PC sous une nouvelle marque. Mais que diriez-vous à Lexus pour les convaincre d'aller dans la direction inverse ?)

Beaucoup de laboratoires pharmaceutiques américains considèrent pour leur part qu'une deuxième marque est une bien meilleure approche qu'une extension de gamme… même si les médicaments sont identiques. GlaxoSmithKline commercialise le Wellbutrin (651 millions de dollars de ventes annuelles) comme antidépresseur et le Zyban (166 millions de dollars de ventes annuelles) comme médicament facilitant l'arrêt du tabac. Les deux médicaments ont exactement le même principe actif, l'hydrochloride bupropion.

Eli Lilly a lancé sur le marché l'antidépresseur le plus célèbre et le plus efficace de tous les temps, le Prozac, qui compte pour 30 % de son chiffre d'affaires total. Lilly a repris le médicament sous un nom différent pour lancer un tout nouveau médicament, le Sarafem, qui contient de l'hydrochloride fluoxétine, qui n'est ni plus ni moins que le nom générique du Prozac. Le Sarafem est vendu comme traitement des troubles prémenstruels. Lancer la fluoxétine sous une nouvelle marque permet à Lilly de toucher les femmes et leurs médecins avec un discours adapté, ce qui n'aurait pas été possible sous la bannière du Prozac. Le Prozac est entré dans les mœurs. Le Sarafem et les troubles prémenstruels, c'est nouveau et cela intéresse les médias.

Merck commercialise le Proscar en traitement des prostates hypertrophiées et le Propecia comme médicament contre la calvitie masculine. Les deux médicaments ont exactement le même principe actif, la finasteride. (Si les partisans de l'extension de gamme avaient mis la main sur ce produit, ils utiliseraient sans doute un nom unique et le concept, « De la tête au bas-ventre, c'est le médicament qu'il vous faut ».)

Ne vous méprenez pas. Les extensions de gamme limitent les retombées médiatiques. Malgré les centaines d'articles qui ont été écrits sur le New Coke et le PC d'IBM, nous sommes convaincus que les extensions de gamme ont en règle générale pour effet de limiter la couverture presse, alors que les nouvelles marques favorisent et accélèrent les retombées médiatiques. Supposons qu'IBM ait créé une nouvelle division sous un nouveau nom pour lancer son premier ordinateur personnel de bureau. Nous sommes prêts à parier qu'il y aurait eu encore plus d'articles dans les journaux.

Une nouvelle division aurait permis de valoriser les collaborateurs et les installations attachés à la nouvelle marque. En outre, les journalistes auraient exploré des questions comme « Pourquoi créer un nouveau nom au lieu d'utiliser la marque IBM ? » (Le succès du lancement de Saturn est un bon exemple des retombées médiatiques positives que peut engendrer une nouvelle marque. « Une société différente. Une voiture différente. » Même si la Saturn n'était ni plus ni moins qu'un nouveau modèle General Motors.)

D'un point de vue stratégique, un nouveau nom peut, c'est une évidence, contribuer à installer la marque dans les esprits comme leader d'une nouvelle catégorie.

Les publicitaires prétendent souvent le contraire. Ils affirment qu'essayer d'imposer une nouvelle marque sur le marché coûte trop cher. Ce qu'ils veulent dire, naturellement, c'est ce que cela coûte trop cher de lancer une nouvelle marque en faisant de la *publicité.*

« Cela coûte trop cher » est la première objection qui nous est faite lorsque nous préconisons le lancement d'une nouvelle marque. Aux yeux des entreprises, nouvelle marque signifie nouvelles campagnes de pub ruineuses.

C'est une perception erronée. Pour une nouvelle marque, la publicité n'a aucune crédibilité. Ce n'est que lorsqu'une marque a établi sa légitimité grâce à la presse qu'il devient envisageable d'utiliser la publicité. Mais la règle est de ne jamais lancer une nouvelle marque au moyen de la publicité.

GM lance une marque de petite voiture

Considérons les efforts déployés par General Motors pour lancer une marque de petite voiture. Ils ont d'abord essayé la Chevrolet Chevette (une extension de gamme typique). Après des années de ventes médiocres, ils ont fini par abandonner la gamme Chevette.

Qui pourrait bien avoir envie d'acheter une petite Chevrolet ? (C'est à côté de la plaque.) Même chose pour un PC junior d'IBM. Les extensions de gamme ne sont jamais considérées de manière isolée par les prospects. Une extension de gamme est toujours perçue par rapport à la marque principale.

Chevrolet est ensuite passé à la Chevrolet Geo. Avec la Geo, ils ont fait des pieds et des mains pour essayer de séparer la marque Geo de la marque Chevrolet. Les pubs disaient Geo, pas Chevrolet. Les voitures disaient Geo, pas Chevrolet. Malheureusement, Chevrolet vendait la Geo dans des concessions Chevrolet et les clients disaient donc automatiquement la « Chevrolet Geo ».

(Lexus, Acura et Infiniti sont perçues comme des marques à part entière mais une voiture de même catégorie, la Diamante, est perçue comme une Mitsubishi parce qu'elle est vendue dans des concessions Mitsubishi. Si cela ressemble à un canard et que cela marche comme un canard mais que c'est vendu dans une concession de poulets, on dit que c'est un poulet.)

Puis Chevrolet, ou plutôt General Motors, a eu une meilleure idée. Le constructeur a lancé sa petite Chevrolet sous le nom de Saturn. Il a vendu les Saturn dans des concessions Saturn et dit que la voiture était fabriquée par un autre type de constructeur automobile. Assez naturellement, le lancement de la Saturn a eu les honneurs des médias et le modèle a connu un grand succès.

À un certain moment, le concessionnaire moyen de Saturn vendait plus de voitures par an que le concessionnaire moyen de toute autre marque.

Saturn était alors la seule marque automobile d'Amérique à être proposée dans un seul modèle. (Il existait des versions deux portes, quatre portes et break mais c'était le même modèle, que Saturn appelle la gamme S.)

Et puis, Saturn a lancé un modèle plus gros, plus cher, la gamme L. Un demi-succès, pour le moins, qui a sonné le début de la relégation de Saturn au rang des marques faibles à la Chevrolet.

Lorsque vous conservez à une marque comme Saturn son étroitesse de cible, vous créez de multiples opportunités de couverture médiatique. Pour le troisième anniversaire de son lancement, la marque a ainsi organisé une fête en l'honneur des propriétaires de Saturn dans son usine de Spring Hill dans le Tennessee. Quelque 44 000 propriétaires de Saturn et leurs familles y sont venus. Et pas moins de 170 000 autres ont été reçus dans les concessions de la marque. (Essayez donc d'en faire autant avec Chevrolet.)

Saturn a fait la même chose (avant que la marque s'égare) que Harley-Davidson : constituer un groupe fidèle de propriétaires qui vendront la marque à leurs amis et à leurs voisins. L'Harley Owners Group (HOG) est le plus grand club de motards du monde, avec plus de 600 000 membres et 1 200 sections à travers le monde.

Gravir les échelons

Pourquoi Saturn a lancé un modèle plus grand et plus cher, la gamme L ? Pour répondre aux besoins et aspirations nouveaux de ses clients à mesure qu'ils avancent dans la vie, se marient, ont des enfants et aspirent à posséder une voiture plus luxueuse. Cela semble logique mais c'est une stratégie fondamentalement biaisée.

Au fur et à mesure qu'il gravit l'échelle de la vie, le client utilise les marques comme des barreaux. Un célibataire achètera une Saturn parce que c'est une voiture sympa et pas chère. Sa carrière progresse, il est augmenté, il achète alors une BMW. Puis il se marie, fonde une famille et achète une Volvo. Quand vient l'heure du divorce, la femme garde les enfants, la maison et la Volvo, et le mari s'offre une Ferrari.

Les marques sans spécificité ne collent pas aux barreaux de l'échelle de la vie. Quand vous essayez de plaire à tout le monde, vous finissez par ne plus plaire à personne.

La stratégie est plus importante pour une campagne de RP que pour une campagne de pub. Il est toujours possible de faire de la pub quand on a une mauvaise stratégie. Il en va autrement des RP. Si la stratégie n'est pas bonne, il n'y aura pas de retombées presse.

L'histoire du Fahrvergnügen

Il y a plusieurs années, Volkswagen s'est retrouvée dans la même position que Chevrolet. La marque essayait de commercialiser une gamme complète d'automobiles n'ayant pas grand-chose en commun. Alors, l'agence de pub de VW inventa le thème du *Fahrvergnügen*, qui signifie en Allemand « le plaisir de conduire ». Dotée d'un budget de 100 millions de dollars, la campagne de publicité acheta beaucoup de temps et d'espace dans les médias.

Mais quel est le potentiel RP du *Fahrvergnügen* ? Nul, ou presque.

« Qu'est-ce qui est nouveau sur le millésime Volkswagen 1990 ? », interrogera par exemple le journaliste d'un magazine automobile.

« Tous les modèles ont le *Fahrvergnügen.* »

Quand on lui demanda pourquoi la société avait investi 100 millions de dollars sur le *Fahrvergnügen*, l'un des vice-présidents de VW répondit : « Le thème est en rupture totale avec toutes les publicités sur les prix et les rabais qui dominent le marché aujourd'hui. »

Peut-être, mais de toute évidence, la campagne n'a pas été d'un grand secours pour les ventes de VW qui se sont effritées dans les années qui ont suivi.

Les *Fahrvergnügen* vont bon train dans les milieux de la pub et du marketing. Nouveau, original, créatif et en rupture totale. Et totalement inutile dans une perspective RP.

Les hommes et les femmes de relations publiques doivent prendre l'initiative, convaincre les entreprises que ce sont les médias qui font les marques, et pas la pub. Pour ensuite développer des stratégies de lancement de marques qui donnent lieu à une couverture presse efficace.

Quand c'est à une agence de publicité que l'on confie la stratégie de lancement d'une marque, le *Fahrvergnügen* n'est jamais très loin. « Le métier de la publicité est en perte de vitesse, a dit David Ogilvy. Il est tiré vers le gouffre par les individus mêmes qui le font, qui sont infichus de vendre quoi que ce soit, qui n'ont jamais rien vendu de leur vie…

qui méprisent tout ce qui est commercial et dont la mission dans la vie se résume à être des frimeurs malins et à soutirer de l'argent aux clients aux seules fins de faire montre de leur originalité et de leur génie. »

Fahrvergnügen n'est pas le seul nom qui sonne mal sur la scène marketing. Le marché en est truffé.

20

Le pouvoir des noms

En marketing, le nom est tout. La meilleure société, le meilleur produit, le meilleur emballage et le meilleur marketing du monde ne serviront à rien si le nom est mauvais. La bière Gablinger's, la première bière légère, a été lancée par une campagne de publicité primée, abondamment saluée par la presse. Mais la marque a fini en eau de boudin.

Tout le monde disait que la bière avait mauvais goût. Mais le goût est autant dans la tête que dans la bouche. (Vous avez déjà essayé de faire manger des spaghettis à un enfant aux yeux bandés en lui disant qu'il devait ingurgiter des vers s'il voulait voir son émission de télé préférée ?)

Toute bière répondant au nom de Gablinger's aura nécessairement mauvais goût… surtout si c'est une bière de régime. Pas plus qu'une bière appelée Yuengling ne peut avoir bon goût. La bière Yuengling a-t-elle existé ? Et oui, comme vous le découvrirez dans le chapitre 23.

Qu'est-ce qu'un bon nom ? Un mauvais nom ? Les noms ne peuvent être envisagés de manière isolée. Ils doivent être considérés relativement à la catégorie du produit.

Toutes les catégories sont différentes

Certaines catégories de produits sont drôles. D'autres sont sérieuses. Le popcorn est une catégorie drôle, le nom Faith Popcorn aussi. La bière est une catégorie sérieuse, le nom Charlotte Beers aussi.

Orville Redenbacher's ferait sans doute un nom épouvantable pour une bière mais c'est un nom au poil pour du popcorn parce que le popcorn est un produit drôle, auquel son nom fait écho. De fait, Orville Redenbacher's est devenu la marque de popcorn la plus vendue du pays. (Pour imprimer le nom de leur marque dans l'esprit des amateurs de popcorn, Orville Redenbacher et sa femme ont sillonné le continent d'innombrables fois pour rendre visite aux stations de radio, chaînes de télé, journaux et magazines de toutes les grandes villes.)

C'est à Chicago qu'eut lieu la percée décisive de Redenbacher's lorsque le grand magasin Marshall Field's accepta de référencer le produit. Pour fêter l'événement, Orville Redenbacher loua le Gas Light Club de Chicago et donna une soirée pour les journalistes gastronomiques et la presse spécialisée. Les articles qui en résultèrent propulsèrent le popcorn Orville Redenbacher sur la voie d'un succès national.

Drôle, sérieux ne sont que deux des innombrables attributs que peut posséder une catégorie. Les catégories peuvent être vieilles, jeunes, hich-tech, peu technologiques, luxueuses, bon marché, masculines, féminines… Et pour avoir du succès, une marque doit évoquer l'un des attributs essentiels de la catégorie. (Pour une boisson énergétique, Red Bull est un excellent nom de marque.)

Mais attention : un nom peut aussi évoquer son contraire. Quel type de consommateurs le nom Slim-Fast séduit-il ? Les gens minces ou les gens gros ? De toute évidence, Slim-Fast est un nom qui parle aux gens qui pensent qu'ils sont trop gros. Dans le cas de Slim-Fast, c'est acceptable.

Et une chaîne de motels qui s'appelle Quality Inn attire-t-elle les gens qui cherchent un endroit de qualité où passer la nuit, un endroit qui puisse se comparer au Ritz ? Absolument pas. Quality Inn attire les gens qui cherchent un bon rapport qualité-prix.

Un entrepreneur australien envisageait d'ouvrir une chaîne de vêtements de luxe et de conseils vestimentaires sous l'enseigne Esteem. Qui ce nom séduit-il ? Des individus qui ont peu d'estime de soi. Une carte impossible à jouer. Les gens qui doutent d'eux-mêmes sont rarement prêts à l'admettre.

Un nom ringard, ça se change !

Ralph Lifshitz a changé de nom avant de devenir célèbre. Polo de Ralph Lifshitz a clairement moins de cachet que Polo de Ralph Lauren.

Dans la littérature, les écrivains donnent souvent des noms ringards à leurs personnages pour renforcer leurs caractéristiques négatives. Ebenezer Scrooge (« grippe-sou ») dans *Un conte de Noël* de Charles Dickens. Willy Loman (« vaurien ») dans *Mort d'un Commis Voyageur* d'Arthur Miller. Les Grinch dans *Comment les Grinch ont volé Noël* du Dr. Seuss. Mais rien ne justifie de conserver un mauvais nom (ou un nom inadéquat) dans le domaine du marketing.

Nous avons travaillé avec une société italienne de produits alimentaires qui voulait se doter d'un nouveau nom. Après avoir choisi un nom italien approprié pour la société, nous avons osé suggérer au PDG et propriétaire que lui aussi abandonne son nom (qui était français) pour adopter le nouveau nom italien que nous avions choisi.

Et pourquoi pas ? Les grandes entreprises sont prêtes à débourser des centaines de milliers de dollars pour créer une nouvelle marque et iraient ensuite mettre cette marque dans la bouche d'un PDG affublé d'un nom totalement inadapté ? Cela n'a aucun sens.

Du point de vue de la création de la marque et de sa notoriété, le PDG d'une grande entreprise est exactement dans la même position qu'une star de la télé ou du cinéma. Un nom court, simple, facile à mémoriser simplifie grandement le processus de construction de la marque. C'est la raison pour laquelle une proportion non négligeable de légendes d'Hollywood ont fabriqué leur nom de toutes pièces :

- Allen Konigsberg est devenu Woody Allen
- Alphonso d'Abruzzo est devenu Alana Alda
- Archibal Leech est devenu Cary Grant
- Cherilyn Shakisian est devenue Cher
- Tom Mapother est devenu Tom Cruise

- Bernie Schwartz est devenu Tony Curtis
- Diane Friesen est devenue Dyan Cannon
- Margaret Hyra est devenue Meg Ryan
- Eugene Orowitz est devenu Michael Landon
- Frances Gumm est devenue Judy Garland
- Issur Danielovitch est devenu Kirk Douglas
- Maurice Micklewhite est devenu Michael Caine
- Michael Guitosi est devenu Robert Blake
- Shirley Schrift est devenu Shelley Winters
- Walter Matuschanskayasky est devenu Walter Matthau

Le système d'exploitation de l'esprit

Le langage est le système d'exploitation de l'esprit. Aucun mot n'est jamais accepté seulement pour ce qu'il est. Chaque sonorité, chaque syllabe a son propre bagage, parfois positif, parfois négatif, parfois neutre. Si vous voulez créer une impression favorable dans l'esprit du prospect, vous devez utiliser des mots qui reflètent la perception que vous essayez de créer.

Le nom de famille de Donald Trump était Drumpf. Les Drumpfs Towers auraient-elles eu le même succès que les Trump Towers ? Nous ne le pensons pas. Pas plus que les Lipshitz Towers. Ou les Ben Laden Towers, en l'occurrence.

Pulte Homes, le deuxième constructeur immobilier du pays, nous a contactés au sujet d'un projet de création de marque. C'est un projet colossal, nous ont-ils dit, 60 % des propriétaires de maisons individuelles sont incapables de citer le nom de la société qui a construit leur maison.

On les comprend aisément. Si notre maison avait été construite par Pulte, nous ne souviendrions pas non plus du nom. Et donc ? Changez de nom !

Hors de question. (Le fondateur de la société s'appelle Pulte.) Et donc, la société dépense 30 millions par an en publicité, char dans la parade de Thanksgiving du grand magasin Macy's et spots télévisés compris. Leur agence est Bcom3 Group d'Arcy Masisus Benton &

Bowles. (Reconnaissons-leur le mérite d'avoir engagé une agence de pub qui n'a pas à regretter d'utiliser un mauvais nom.)

Le groupe Saudi Binladin, l'une des plus grandes sociétés de construction du monde, a récemment consulté des agences de RP. Si votre agence avait le budget de Saudi Binladin, quelle serait la première chose que vous leur conseilleriez ?

Beaucoup de sociétés n'ont pas l'oreille musicale en ce qui concerne leurs propres marques. Pourquoi la société Kellog commercialiserait-elle des sauces sous la marque LeGoût ? Ils ne se rendent pas compte que le client peut se dire que les sauces LeGoût sont un peu trop riches ?

Il y a aussi une société qui s'appelle Sappi (littéralement, cruche, andouille) et se définit comme « le mot pour dire beau papier ». Nous, on croyait que c'était le mot pour dire couillons.

Créer une marque de bière

Nous avons travaillé avec la société Pittsburgh Brewing Company dont la marque principale est la bière Iron City. Le client voulait lancer la marque au niveau national. Naturellement, nous avons dit non.

Pourquoi Iron City ne peut pas devenir une marque nationale ? ont voulu savoir les dirigeants de la brasserie. Si Rolling Rock, brassée à Latrobe, en Pennsylvanie, peut devenir avec succès une marque nationale, pourquoi pas Iron City ?

Iron City n'est pas Rolling Rock. Les bières sont peut-être les mêmes, mais les noms sont différents. Rolling Rock coule sur la langue comme une chute d'eau rafraîchissante alors qu'Iron City évoque essentiellement des pensées négatives d'acier et de désespoir. Allez donc expliquer à quelqu'un qui vit à Pittsburgh que la « bière rouillée » ne se vendra pas à Palo Alto ou à Palm Beach. Ce n'est pas facile.

(Et comment expliquez-vous à quelqu'un qui vit à Green Bay, dans le Wisconsin, qu'il est peu probable que les casquettes des supporters de l'équipe de foot locale deviennent un article à la mode ?)

Et d'après vous, pourquoi Schlitz n'est plus la bière la plus vendue d'Amérique, ce qu'elle a un jour été ? Son nom y serait-il pour quelque chose ? À l'époque où Al était à peine en âge de boire, une plaisanterie douteuse circulait dans les cafés : « *It may be Pabst in the glass, but it's Schlitz in the pants.* » (C'est peut-être Pabst dans le verre, mais c'est Schlitz dans le froc)

Le « maquereau cheval » et autres noms à coucher dehors

Le thon avait autrefois un nom d'enfer. On l'appelait le maquereau cheval. Et l'huile de colza était connue sous le nom d'huile de « graine de viol ». Si vous avez un nom maquereau cheval, il n'y a pas à hésiter : trouvez-en un autre. Les noms font la différence, surtout en RP, où vous n'avez aucun contrôle sur le message.

Récemment, le Comité du Pruneau de Californie a obtenu du gouvernement l'autorisation de donner aux pruneaux (*prune*, en Anglais, qui signifie également repoussoir) le nom de « prunes séchées ». Mais ce changement intervient sans doute trop tard pour améliorer la réputation des pruneaux. Le nom « pruneau » est déjà solidement installé dans les esprits et lorsque les consommateurs ont une idée en tête, il est difficile, sinon impossible, de l'en déloger ou de la modifier.

Si l'on veut changer un nom, c'est avant qu'il ait pu faire son chemin dans les esprits. La groseille de Chine était inconnue aux États-Unis jusqu'à ce qu'un importateur ait l'idée de l'appeler kiwi. (Certains fruits et légumes ont deux noms, comme la noisette qui s'appelle aussi aveline et les pois chiche, dont l'autre nom est garbanzos. Vous avez déjà commandé un café parfumé à l'aveline ? Ce sont en général les meilleurs noms qui sont le plus largement utilisés.)

Il y a dix ans, General Motors a choisi de baptiser une nouvelle voiture électrique « Impact ». Impact n'est pas un bon choix pour une marque automobile parce que le nom évoque des images négatives. « Ah bon, le Chariot de la Mort était déjà pris ? », a ironisé Jay Leno.

Scott Fitzegerald voulait appeler son livre *Trimlachio* jusqu'à ce que son éditeur le persuade de l'appeler *Gatsby le Magnifique*. À l'origine, le nom de l'héroïne d'*Autant en Emporte le Vent* était Pansy (Pensée), avant qu'un éditeur ne le remplace pas Scarlett.

Alice Rosenbaum est devenue Ayn Rand. Faith Plotkin se fait désormais appeler Faith Popcorn.

Palm Island, dans les Grenadines, s'appelait Prune Island. Paradise Island, aux Bahamas, s'appelait Hog Island (L'île aux porcs).

Un nom de marque porteur est un atour précieux auprès des journalistes. Wilson a appelé sa nouvelle raquette le Marteau (*Hammer*) et tout bon joueur de tennis se devait d'en posséder une. Callaway a appelé son driver surdimensionné le Big Bertha et tout bon joueur de golf se devait d'en posséder un. Nike a appelé son modèle de runner Air Max et tout bon coureur se devait d'en posséder une paire.

Une compagnie aérienne ou un oiseau qui ne vole pas ?

Pourquoi baptiser une compagnie aérienne desservant la côte est des États-Unis « Kiwi International Airlines » ? Le kiwi est un oiseau de Nouvelle-Zélande qui ne vole pas ; ce nom ne rime à rien pour une compagnie aérienne aux États-Unis.

En 1996, lorsque Kiwi fit faillite et resta définitivement clouée au sol, quatre ans après avoir pris son envol, son PDG incrimina les retombées de l'accident de l'appareil Valujet et la surveillance accrue du gouvernement sur les nouvelles compagnies aériennes. Son nom d'oiseau incapable de voler ne fut pas mentionné.

En 1994, Kiwi avait été élue meilleure compagnie aérienne intérieure par les lecteurs de *Condé Nast Traveler*, l'une des publications les plus respectées de l'industrie du tourisme. Comment la meilleure compagnie intérieure allait-elle se retrouver le bec dans l'eau deux ans plus tard ?

Les marques naissent et vivent dans les esprits, grâce, principalement, aux médias. Selon vous, quelle est la première question qu'un journaliste poserait aux dirigeants de Kiwi ? Pourquoi avez-vous donné un nom néo-zélandais à une compagnie aérienne du New Jersey ?

(ValueJet, il faut le préciser, vole toujours mais sous un nom différent, AirTran. Un nom comme AirTran aurait-il sauvé Kiwi ? Nous le pensons.)

Le produit ou le nom ?

Pour la plupart des PDG que nous avons rencontrés, les noms n'ont pas d'importance. C'est toujours le produit, le prix, le service, la distribution qui comptent. Pourtant, les noms peuvent souvent faire une différence considérable. Master Charge (avant de devenir Master Card) était la première société de cartes de crédit du pays, devant BankAmericard. Jusqu'à ce jour de mars 1997 où BankAmericard choisit de devenir... Visa.

Aujourd'hui, Visa détient une part de marché près de deux fois supérieure à celle de MasterCard, une réussite largement attribuée à son nouveau nom. De fait, nombre de banques rechignaient à utiliser le nom d'une concurrente (BankAmerica). En outre, le nom Visa possède un glamour et un cachet international qui font défaut à celui de MasterCard.

Beaucoup d'entreprises évitent de changer de nom parce qu'elles pensent que c'est trop cher. Dès lors que l'on évoque un changement de nom, on pense automatiquement campagne de publicité coûteuse.

Pourquoi dépenser l'argent en publicité pour faire connaître son nouveau nom alors qu'une campagne de RP permet d'obtenir de bien meilleurs résultats à un coût largement inférieur ? Lorsque Philip Morris Companies Inc. a annoncé que le groupe s'appellerait désormais Altria Group Inc., l'essentiel du travail a été accompli par les RP. Les publicités pour Altria sont passées quasiment inaperçues. Qui va s'amuser à lire une publicité complaisante intitulée « Une entreprise change de peau » ?

Pourquoi le nom Altria ? « Dérivé du latin *altus*, qui signifie haut, explique la publicité, Altria symbolise la volonté constante de notre société d'aller toujours plus haut – une philosophie qui a toujours guidé nos décisions. » Les mots *tabac* et *cigarettes* n'apparaissent nulle part dans la publicité Altria. (La raison évidente à ce changement de nom est que Philip Morris souhaitait se démarquer de l'univers de la cigarette.)

Mais le tabac était omniprésent dans les articles de presse consacrés à l'événement. « Quand une société essaye de tirer un trait sur le tabac » titrait par exemple le *New York Times*. Si toutes les publicités étaient aussi directes, honnêtes et incisives que les articles et reportages qu'on voit, qu'on lit ou qu'on entend dans les médias, on peut supposer que la publicité jouirait d'une certaine crédibilité. Cela dit, la question de l'impact d'une publicité honnête dans un océan de subterfuges reste posée…

« Les menteurs, quand ils disent la vérité, a écrit Aristote, ne sont pas crus. » Toute publicité est jugée à l'aune non pas de ce qu'elle dit mais à l'aune de toutes les autres publicités qui ont existé. (C'est un canard, d'accord, mais il vit dans un poulailler.)

Andersen Consulting change de nom

Un changement de nom est souvent synonyme de « publicité » favorable. À la suite de sa séparation du cabinet comptable Arthur Andersen, Andersen Consulting a été obligé de changer de nom. Un concours lancé auprès des collaborateurs a donné naissance à Accenture, une contraction de *accent on the future* (accent sur le futur).

Mais en quoi le nom Accenture est-il susceptible d'intéresser les médias ? Après tout, c'est seulement un nom d'entreprise fabriqué, comme Altria, Avaya, Aventis, Agilent, Azurix, etc.

Un bon nom est un nom qui a une valeur de narration. Il évoque une idée que les journalistes peuvent explorer. Où est la valeur de narration dans *accent on the future* ? Est-ce que toutes les entreprises ne consacrent pas des heures et des heures à étudier, planifier, réfléchir l'avenir ? Accenture résonne au mieux comme une pirouette concoctée au prix fort par des spécialistes de l'identité de marque, une parmi tant d'autres.

Trouver un nom qui possède une valeur de narration signifie en général trouver quelque chose d'important qui différencie une société de ses concurrents. Ce qui est très facile dans le cas d'Andersen Consulting.

Contrairement à ses concurrents (IBM, EDS et autres KPMG Consulting), Andersen Consulting recrute la majorité de ses collaborateurs directement à leur sortie de l'université, pour les former « à la Andersen *way* » dans son centre de St. Charles, dans l'Illinois. Quel nom permettrait d'exploiter cette caractéristique ?

St. Charles Consulting, évidemment. À la question d'un journaliste « Pourquoi avez-vous appelé la société St. Charles Consulting ? », la réponse permet de positionner efficacement la nouvelle entité. « Nous avons choisi de nous appeler St. Charles Consulting pour attirer l'attention sur le fait que la majorité de nos collaborateurs ont été formés « à la St. Charles *way* » dans notre centre de St. Charles dans l'Illinois. »

Comprenez bien notre propos. Même dotée d'un nom un peu ringard, une société aussi puissante qu'Accenture continuera son bonhomme de réussite. Quand on est milliardaire, une occasion ratée n'est pas un drame. Mais il en va autrement des sociétés plus modestes, qui pourraient être tentées de suivre aveuglément le même chemin qu'Accenture.

« Si Accenture peut, pourquoi pas nous ? », se dira probablement une entreprise de taille normale. Mais pour le commun des entreprises, le choix d'un nouveau nom sera souvent une décision de vie ou de mort. Dès lors, une règle à suivre : se doter d'un nom porteur susceptible de s'attirer une couverture médias favorable.

La plus grosse erreur que puisse commettre une entreprise « moyenne » est d'imiter les grandes entreprises. On nous dit souvent : « Pourquoi ne vendrions-nous pas de tout ? C'est pourtant ce que fait Wal-Mart. » Notre réponse est toujours la même : « Vous n'êtes pas Wal-Mart. »

Lorsque Jack Welch est devenu PDG de General Electric en 1981, la société était déjà numéro 1 ou numéro 2 sur tous ses segments de marché. Combien de sociétés peuvent-elles prétendre imiter avec profit GE ? Très peu.

Quelqu'un a un jour demandé à Babe Ruth comment il se préparait pour un match. « Ma foi, a répondu Babe, je vais dans les endroits à la mode, je sors jusqu'à deux heures du matin, je bois un ou deux whiskies et je m'éclate. »

Avant de vous dire que vous pourriez peut-être faire la même chose, demandez-vous donc : « Suis-je Babe Ruth ? » Ou Wal-Mart ? Ou General Electric ? Se maintenir au sommet de la montagne est une chose, essayer d'atteindre le sommet de la montagne en est une autre.

Troisième partie

Le nouveau rôle de la publicité

21

Entretenir la marque

La création de marque n'est pas l'affaire de la publicité. C'est le rôle et la fonction des relations publiques. L'affaire de la publicité, c'est l'entretien de la marque.

Le rôle de la publicité est la poursuite des relations publiques par d'autres moyens. Mais ce n'est pas parce que le vecteur change que la politique de relations publiques doit changer. La publicité doit tout au contraire renforcer les idées et les concepts utilisés en RP.

Une marque naît avec la capacité de créer du « discours ». C'est l'essence même d'une nouvelle marque. Mais que se produit-il quand une marque grandit ? Elle perd son potentiel de RP.

Les médias ont adoré Starbucks, le Viagra et la PlayStation mais ne leur consacrent plus guère d'articles aujourd'hui. Leur nouveauté appartient au passé.

Tôt ou tard, toute marque se heurte à une impasse RP. Quoi que vous fassiez, les médias ne rejoueront pas l'histoire de la marque. C'est alors le moment de faire passer la stratégie de communication de la marque des relations publiques à la publicité.

Qui trop embrasse...

Mais quel genre de publicité ? C'est ici que beaucoup d'entreprises perdent le nord. Au lieu de lancer une campagne de publicité qui renforce ce que les RP ont déjà produit, les propriétaires de marques partent à l'aventure. Ils lancent des campagnes de publicité qui explorent de nouveaux marchés, de nouveaux avantages consommateurs et/ou de nouveaux segments démographiques.

Volvo avait la « sécurité ». Et donc le constructeur utilise la publicité pour faire évoluer l'image de la marque vers la « performance ». Une nouvelle gamme de coupés et de décapotables de sport, la S-70, a même été lancée. Une décapotable Volvo est un oxymore.

H & R Block avait la « préparation des déclarations fiscales ». Et donc, le cabinet a recours à la publicité pour essayer d'imposer aussi la marque comme prestataire de « services financiers ».

Heineken avait « la bière importée haut de gamme » pour les adultes. Et donc, la marque a recours à la publicité pour essayer de séduire des populations plus jeunes et plus branchées.

Ces marques, et d'autres, connaîtront peut-être certains succès grâce à de telles stratégies mais il est probable que ce seront des succès à court terme. La vitesse en marketing assure que le futur proche sera identique aux tendances du passé. Quand une fusée n'a plus de carburant, elle continue son ascension jusqu'à ce que sa vitesse perde le combat contre la gravité. Elle retombe alors sur terre.

Ce n'est pas l'Oldsmobile de votre père

La marque Oldsmobile nous offre un exemple classique de stratégie d'expansion ratée. Qui ne se souvient du slogan « Ce n'est pas l'Oldsmobile de votre père » ? Cette campagne de marketing centrée sur la publicité a atteint des niveaux de notoriété faramineux.

« Ce n'est pas l'Oldsmobile de votre père » possède tous les ingrédients que la publicité de création de marque est censée posséder. Un slogan mémorable, une « valeur mondaine » et un bénéfice produit susceptible de motiver les jeunes à acheter une Oldsmobile.

Oldsmobile venait de lancer sur le marché son modèle Aurora, bientôt suivi par l'Alero et l'Intringue, des voitures puissantes au design ébouriffant qui avaient réellement de quoi séduire les jeunes.

Malgré la campagne, les ventes d'Oldsmobile baissèrent. Et, plus gênant encore, l'âge moyen de l'acheteur de la marque augmenta.

On ne lutte pas contre une perception mentale avec la publicité. Même la vérité ne peut avoir raison d'une perception ancrée dans l'esprit du prospect. (Le nom Oldsmobile lui-même alimentait l'association mentale « marque de vieux ». Pourquoi un jeune aurait-il envie de conduire une « Olds » ?)

Agir sur le territoire de la marque

On utilise souvent la publicité dans le but « d'élargir » le territoire de la marque.

- Le jus d'orange ne se boit plus seulement au petit-déjeuner. Florida Citrus Commission.
- Nous ne sommes plus seulement une société qui fabrique du jus d'orange. Tropicana vend désormais aussi du jus de pamplemousse, du jus de pomme, du jus de raisin, du jus de canneberge, du punch aux fruits, de la limonade et des boissons aux fruits Twister.
- Nous ne nous adressons plus seulement aux enfants. « Redécouvrez le bonheur d'être enfant » est le thème d'une campagne Walt Disney World visant à augmenter la fréquentation des adultes dans ses parcs d'attraction. Si vous n'avez pas d'enfants, pourquoi diable auriez-vous envie d'aller à Disney World ?
- Nous ne sommes plus seulement pour les jeunes. « J'en veux ! » a été le thème d'une brève campagne Pepsi-Cola mettant en scène de vieux briscards comme Yogi Berra, Jimmy Connors et les Dr. Joyce Brothers.

« Par le passé, les campagnes de pub Pepsi ont été un peu trop centrées sur la jeunesse, a déclaré le dirigeant de l'agence de publicité en charge du budget. Nous aurions pu réaliser des profits plus importants si nous avions élargi notre horizon et déployé un filet plus grand pour ne pas attraper seulement des jeunes. »

C'est une situation « Qui va tirer le grelot ? » La stratégie est fondée mais elle ne fonctionnera pas parce qu'elle se repose sur la publicité pour accomplir un travail que la publicité ne peut pas faire.

La publicité ne change pas les esprits. La publicité est incapable de modifier la perception mentale d'une marque. La publicité ne peut pas remplacer une marque existante dans l'esprit par une nouvelle marque. Toutes ces tâches sont hors de portée d'une stratégie publicitaire.

La publicité peut seulement jouer avec une perception qui existe déjà. Elle peut la renforcer, l'ancrer plus profondément mais ni la changer ni la modifier ni l'élargir. Conduite avec talent, néanmoins, cette stratégie de renforcement peut être extrêmement fructueuse.

On ne lutte pas contre une perception

L'humilité est l'une des règles de base du succès d'une campagne de publicité. L'humilité d'accepter les perceptions mentales associées à votre marque et de vous en servir pour mieux rebondir.

Sans compter que vous découvrirez souvent que la part de marché actuelle d'une marque ne représente qu'une fraction de sa part de marché potentielle.

Parce que Volvo incarne la sécurité, la marque est connue comme la « voiture de la ménagère de moins de quarante ans ». Combien de ménagères de moins de quarante ans conduisent aux États-Unis ? Disons 5 millions. Les ventes de Volvo s'élevant à quelque 100 000 voitures par an, il est clair que la marque est bien loin de dominer le segment des ménagères de moins de quarante ans.

Nous ne suggérons pas que Volvo lance, littéralement, des spots pour la ménagère de moins de quarante ans, encore que cela soit une option. En revanche, Volvo aurait tout intérêt à se concentrer sur le positionnement « sécurité » qu'elle détient déjà. Cette stratégie présente quatre avantages. (1) Elle rappelle aux prospects les attributs fondamentaux de la marque. (2) Elle éduque de nouveaux acheteurs qui viennent d'entrer sur le marché. Avec le temps, les gens grandissent. (3) Elle approfondit le marché en faisant de la sécurité une raison encore plus importante d'acheter une Volvo. Avec le temps, les gens peuvent devenir plus sensibles aux carnages dont les routes américaines sont le théâtre. Plus de cent personnes y trouvent la mort chaque jour. (4) Elle protège la marque contre des concurrents qui pourraient autrement essayer de se positionner sur le créneau de la sécurité.

Remettre en mémoire, éduquer, approfondir et protéger sont quatre bonnes raisons de lancer une campagne de publicité qui renforcera une perception qui existe déjà dans l'esprit des consommateurs. D'autant plus si on compare cette stratégie avec l'option alternative : lancer une campagne de publicité visant à modifier une perception existante. L'expérience prouve qu'à cause du manque de crédibilité de la publicité, cette approche ne fonctionne tout bonnement pas.

Reprenons l'exemple de H & R Block, qui s'efforce aujourd'hui de se développer dans la planification financière, les crédits immobiliers, les services de courtage et même la gestion de patrimoine. Les clients de Merrill Lynch, Charles Schwab ou Citibank vont-ils décider de faire de H & R Block leur prestataire de conseils financiers simplement parce qu'ils auront vu une publicité à la télévision sur le sujet ? Nous ne le pensons pas.

En revanche, la préparation des déclarations fiscales demeure un marché relativement peu exploré. H & R Block aide à remplir seulement 14 % des 132 millions de déclarations d'impôts remplies chaque année. (*Via* ses bureaux en nom propre et ses franchises ainsi que les produits en ligne et les logiciels commercialisés par la société.)

H & R Block aurait tout intérêt à « approfondir » le territoire de sa marque pour essayer de conquérir une part des 114 millions de déclarations qui lui échappent aujourd'hui.

Et Heineken. Voilà une marque qui s'enorgueillissait autrefois d'être la « bière importée la plus vendue d'Amérique ». Ce n'est plus le cas aujourd'hui. Cette position lui a été ravie par la Corona Extra. Pendant qu'elle courait après les jeunes branchés, Heineken a perdu son leadership. Qu'incarne Heineken aujourd'hui ? La marque est en passe de devenir « une bière comme une autre ».

Renforcer une position de leader

La publicité est particulièrement adaptée lorsque vous cherchez à renforcer une position de leader. Et quand vous êtes leader, vous avez en général envie de le rester… encore plus.

Conquérir (ou défendre) une position de numéro 1 est l'un des objectifs fondamentaux de tout programme marketing. Créer une nouvelle catégorie (pour pouvoir lancer la marque dès l'origine comme leader). Etre la première marque dans une nouvelle catégorie (pour avoir une longueur d'avance sur vos concurrents). Promouvoir votre leadership (de sorte que les prospects supposent que votre marque est la meilleure parce que tout le monde sait que le meilleur produit l'emportera sur le marché). Autant de façons de brandir cette bannière.

L'avantage du leadership comme concept publicitaire est sa crédibilité. Supposons que votre marque possède un certain nombre d'attributs sur lesquels vous pourriez fonder votre communication : performance, durabilité, facilité d'utilisation et leadership. La performance, la durabilité et la facilité d'utilisation sont affaires de points de vue. La publicité de vos concurrents pourrait vous défier sur ces enjeux mêmes. Le leadership, en revanche, n'est pas contestable. Il ne peut y avoir qu'un et un seul numéro 1 des ventes sur le marché de la bière, le marché des pneus, le marché de l'accès Internet, le marché du ketchup : Budweiser, Goodyear, AOL et Heinz. Chacune de ces marques, dans une plus ou moins large mesure, a initié des campagnes de publicité exaltant son leadership.

Le leadership possède une crédibilité. À l'idée de leadership est en outre associée l'idée de « meilleur ». AOL a sûrement un meilleur service Internet que les autres puisque c'est le numéro 1.

Plus efficace encore est de connecter votre leadership à un bénéfice spécifique qui a déjà été installé dans l'esprit du prospect grâce aux RP. America Online est perçu comme le fournisseur d'accès pour les débutants. « L'Internet avec des petites roues » est le surnom d'AOL qui a cours parmi les fondus d'informatique.

Et donc, la publicité d'AOL tire à la fois profit de sa position de leader et de cette perception prétendument négative. « Quand on est tellement facile à utiliser, c'est normal qu'on soit numéro 1 ».

Le slogan publicitaire logique de Coca-Cola (« the real thing », l'authentique) associe la notion de leadership à celle d'authenticité (le premier cola, au sens de numéro 1 et de cola originel). Tout le reste n'est qu'une imitation du Coca.

La créativité en question

Pourquoi Coca-Cola ne redonne pas vie au concept « the real thing » ? Les publicitaires ont pour habitude de rejeter ce type de campagnes en claironnant « Ce n'est pas créatif ».

De fait, la créativité est l'obstacle le plus important sur la voie de la définition d'un nouveau rôle pour la publicité. Toutes les stratégies publicitaires que nous avons conçues pour tous les clients avec qui nous avons travaillé (et ils sont nombreux) ont toujours été battues en brèche par des représentants de la gent publicitaire arguant qu'elles n'étaient pas « créatives ».

Il y a des années, nous avons travaillé pour une chaîne de fast-food drive-in à deux voies appelée Rally's qui faisait concurrence aux drive-in de McDonald's et Burger King à une seule voie. Notre stratégie était de mettre l'accent sur la rapidité : le hamburger 60 secondes, ou quelque chose dans cet esprit.

Non, a décrété le célèbre concepteur-rédacteur que le client avait engagé comme conseiller de création, ce n'est pas créatif. C'est trop évident. Il faut plutôt mettre l'accent sur la bonne exécution de la commande.

Et la crédibilité dans tout ça ? avons-nous demandé. Il suffit d'aller acheter un hamburger chez Rally's pour se rendre compte que la rapidité du service est au cœur du positionnement de l'enseigne. Les points de vente sont petits et exclusivement consacrés à la vente à emporter. En outre, ils comportent deux comptoirs de vente quand ses concurrents n'en ont qu'un. Si la rapidité n'était pas le premier avantage pour le client, pourquoi la marque aurait-elle choisi de s'appeler Rally's ?

Cette fois, comme tant d'autres, la créativité a eu raison de nos arguments.

La créativité pour quoi faire ?

Une marque qui envisage de lancer une campagne de publicité n'a pas systématiquement besoin d'une campagne « créative » et si la créativité est de rigueur, alors c'est vers les RP qu'elle doit se tourner.

On crée les marques avec les RP. On entretient les marques avec la publicité.

La publicité n'a pas créé la marque Goodyear mais elle excelle à l'entretenir.

La publicité est la « majorette » qui répète les mots et les idées qui existent déjà dans l'esprit des prospects. L'objectif d'une campagne de publicité est de faire ressurgir ces mots.

Le directeur de création d'une agence de publicité qui lance pour soutenir son équipe un « Hourra ! » original ne pourra qu'être déçu par les réactions de la foule.

« Mais de quoi ça parle ? » est une réaction courante à la plupart des spots télé. La créativité fait obstacle à la véritable fonction de la publicité qui n'est ni d'informer ni de communiquer. La fonction réelle de la publicité est de renforcer une perception qui existe déjà dans l'esprit.

« Le Tylenol est l'antalgique le plus utilisé par les hôpitaux. » Il est sûrement plus efficace que l'aspirine ou l'Advil, se dit le prospect, autrement les hôpitaux, les institutions les mieux informées du monde médical, n'en feraient pas un tel usage. Créatif ? Non. Efficace ? Oui. Le Tylenol est aujourd'hui la marque la plus vendue dans les pharmacies.

Prenons l'exemple des publicités pour les films. Si vous êtes un concepteur-rédacteur en charge du budget publicitaire d'un film dans une agence de pub, vous n'avez rien à faire. Les publicités pour des films reprennent systématiquement des critiques parues dans la presse. Pourquoi ? Le studio qui a produit le film n'a aucune crédibilité auprès du public, qui n'accorde foi qu'au jugement des critiques.

Un amateur de vin qui s'est documenté dans les médias sur les vins australiens sera réceptif à une publicité pour Rosemount qui dit « Le Shiraz le plus vendu en Amérique ». Laissons tomber les kangourous et les koalas. Rousemount fait de la publicité pour renforcer sa position, pas pour exercer sa créativité.

Comparons Rosemount et Budweiser. Chiens, grenouilles, lézards et furets ont accompagné le déclin de popularité de la bière Budweiser. Si les ventes sont en chute libre, la créativité, elle, n'en finit pas d'être récompensée puisque les publicités Budweiser continuent d'engranger trophée sur trophée.

Quelles idées légitimes, crédibles évoque le nom de Budweiser pour un amateur de bière ? Les seuls animaux qui lui viennent à l'esprit sont les chevaux de trait Clydesdale qui tiraient autrefois les chariots de bière Budweiser. Et la seule idée réellement motivante associée à la Budweiser est « la reine des bières ».

(La marque de bière Miller Brewing diffuse depuis plusieurs années au moment des fêtes de fin d'année un spot télé qui met en scène un couple dans un traîneau tiré par un cheval. Jusqu'à la dernière image, lorsqu'apparaît le logo Miller, beaucoup de personnes pensent que c'est une pub pour Budweiser.)

Budweiser devrait reprendre le thème « la reine des bières » dans ses publicités et utiliser le chariot et les chevaux de trait pour renforcer son image de brasserie la plus ancienne, la plus connue et la plus aimée d'Amérique. De fait, Anheuser-Busch diffuse de temps à autre un spot télé pour Budweiser utilisant les chevaux de trait – ce qui a été le cas récemment pendant le Super Bowl. Selon un sondage conduit par *Adweek* auprès de 5 260 personnes, le spot « chevaux de trait » a été le spot préféré des téléspectateurs du Super Bowl avec une confortable longueur d'avance.

On pourrait penser que les amateurs de bière associent Budweiser aux grenouilles, aux lézards et à la dernière expression à la mode, « Whassup ? » Ce n'est pas le cas. Ils associent « Whassup ? » et les grenouilles et les lézards à la pub pour Budweiser. Ce n'est pas la même chose.

Le dilemme de la publicité créative

Il y a plus de quarante ans, le chercheur Alfred Politz mettait déjà en garde contre les pièges qui attendent les agences lorsque leurs clients leur demandent de la publicité créative. Dans un article intitulé « Le dilemme de la publicité créative », Politz écrit, « Il est regrettable, mais nullement surprenant, que l'homme de création attache désormais ses efforts non plus à rendre le produit intéressant mais à rendre la publicité intéressante. En dernière analyse, il ne cherche plus à vendre le produit au consommateur mais la publicité à l'annonceur. »

Tant que les agences continueront à vendre de la publicité aux annonceurs, au lieu de vendre des produits aux consommateurs, la surenchère créative continuera. La pub doit être nouvelle, différente et originale… attributs mêmes qui coupent la publicité de la réalité du produit.

Ce qui doit être nouveau, différent et original, c'est le produit, pas la publicité. Car ce sont là les attributs qui retiennent l'attention des journalistes.

En fait, ce n'est pas tout à fait ça. Ce qui doit être nouveau, différent et original, c'est la perception du produit. Et cette mission-là est celle du chargé de RP. S'emparer du produit ou du service et positionner la marque avec habileté pour éveiller cette perception de nouveau, différent, original.

En d'autres termes, la créativité est du domaine des RP, pas de la publicité. Le travail de la publicité, quand on l'utilise, est de renforcer les idées implantées dans les esprits par le relais des médias.

Pas de retour sur investissement

Si mettre l'accent sur la créativité est la plus grosse erreur que vous puissiez commettre en matière de publicité, l'autre grande erreur serait d'attendre un « RIP » ou retour sur investissement publicitaire.

L'époque est révolue depuis longtemps où il était possible d'investir un million de dollars en publicité et d'augmenter ses bénéfices d'un million de dollars la même année. Pourtant, certains partisans de la publicité croient toujours en l'approche RIP. À ceci près qu'ils considèrent la publicité comme un investissement dont les retours sonnants et trébuchants interviendront dans un avenir indéterminé, et non dans l'année. Si nous dépensons un million de dollars cette année, nous pouvons espérer en récolter les fruits dans cinq ans… peut-être.

Certains de ces partisans sont même allés jusqu'à recommander de traiter la publicité comme une immobilisation, à l'instar de ce que font certaines entreprises pour leurs dépenses de recherche et développement. Ils recommandent de porter l'investissement publicitaire à l'actif du bilan.

Même en retournant les chiffres dans tous les sens, la théorie du RIP est difficile à valider. La publicité est rarement payante en elle-même. De nos jours, la plupart des agences de publicité comptent beaucoup plus sur l'approche « profession de foi ». Si vous croyez en la publicité, alors vous devez engager un budget publicitaire conséquent. Le ciel vous vienne en aide dans l'Amérique marchande si vous êtes un infidèle de la publicité.

Dans notre modèle, ou notre conception des choses, la publicité n'est pas un investissement susceptible de payer des dividendes. La publicité est une assurance. C'est-à-dire que la publicité protège une marque des attaques de la concurrence. La publicité est le prix que vous payez pour maintenir l'empreinte de votre marque dans l'esprit du prospect. Entretenir la marque, et non la créer.

Pour reprendre l'analogie du bilan comptable, la publicité s'apparente davantage au poste « entretien » qu'au poste « recherche et développement ». Sans les dépenses de publicité, la valeur de la marque se déprécierait. La publicité n'est pas là pour rapporter des dividendes demain. Elle protége la marque aujourd'hui.

Les meilleures campagnes de publicité se distinguent par leur dimension « Je le savais déjà mais je suis content que vous me le rappeliez ». « Un diamant est éternel », concept de communication de De Beers depuis de longues années, entre dans cette catégorie. Les meilleures campagnes de publicité ont une connotation davantage affective, émotionnelle (l'analogie avec la majorette), que strictement informative.

Pour poursuivre notre comparaison, si l'on admet que la publicité est une forme d'assurance, quel en sera le retour sur investissement ? Si vous dépensez 1 000 dollars cette année dans une assurance-vie, qu'obtenez-vous en retour ? Rien, sauf, naturellement, si vous mourez.

L'assurance fait partie des dépenses professionnelles même si elle ne rapporte pas de dividendes. Pourquoi pas la publicité ?

L'une des façons dont les défenseurs du RIP s'efforcent de justifier les investissements publicitaires est d'injecter cet argent dans des extensions de gamme. Les publicités mettant en scène la marque-mère ont quasiment disparu pour certaines catégories de produits, à commencer par les produits alimentaires.

Ce que l'on voit, en revanche, c'est une infinité d'extensions de gamme. Nouvelles saveurs, nouvelles tailles, nouveaux ingrédients, nouvelles catégories. Le dentifrice Crest. Les brosses à dents Crest. Les bains de bouche Crest. Crest plus Scope. Et le dernier-né, les Whitestrips Crest.

Déterminer le montant à allouer au budget publicitaire une fois que la marque est installée est une décision délicate. Vous voulez dépenser ce qu'il faut pour protéger la marque de la concurrence, même si cela risque de ne pas faire progresser votre part de marché.

Dans certains cas, il peut être préférable de ne rien dépenser du tout et de laisser la marque mourir de sa belle mort. C'est particulièrement vrai dans les catégories de produits dont les ventes sont en déclin et qui n'ont pas beaucoup d'avenir.

Combien la marque de machines à écrire Smith-Corona aurait-elle dû dépenser en publicité aux premiers jours de l'ordinateur personnel ? Rien, zéro.

Lutter contre une tendance ? Aucune chance

La publicité ne peut rien contre une tendance de fond.

Si la marée est contre vous, la meilleure stratégie est de laisser votre marque couler et d'en lancer une nouvelle pour surfer sur la prochaine vague. Smith-Corona aurait dû lancer un PC sous un nom de marque différent.

Lorsque le marché du jean a reculé, Levi Strauss a lancé la marque Dockers de pantalons sportswear. Aujourd'hui, Dockers est une marque mondiale et milliardaire. Pour faire connaître la marque et faire évoluer les esprits dans son sens, Levis Strauss a inventé le concept de

« Dress Down Fridays » et envoyé des dossiers de presse sur ce thème à des directeurs de ressources humaines.

Lorsque vous choisissez un nom pour votre deuxième marque, méfiez-vous des études. On ne peut évaluer le pouvoir d'une deuxième marque « avant qu'elle existe ». Avant le lancement de la Lexus, si vous aviez demandé aux gens s'ils préféreraient acheter une Toyota Ultra ou une Lexus, quelle marque auraient-ils retenu à une majorité écrasante ? La Toyota Ultra, naturellement.

Les consommateurs préfèrent ce qu'ils connaissent. Ce sont les médias et autres agents actifs du bouche à oreille qui ont fait de Lexus la marque qu'elle est aujourd'hui.

22

Garder le cap

Beaucoup de marques sont lancées dans un feu d'artifice d'articles de presse qui en installent les idées et concepts dans l'esprit du prospect. Et puis le service publicité sort du bois et lance en toute connaissance de cause une campagne de publicité en contradiction avec les valeurs de la marque.

Les publicitaires sont des guides bien peu fiables.

Quand Coors perd le nord

Aucune marque de bière, pour prendre un exemple, n'a été aussi commentée et encensée par la presse que Coors. « Connue comme les Rocky Mountains », titrait ainsi un article du *New York Times Magazine* en 1975.

« La brasserie la plus huppée du pays. Henri Kissinger est amateur de Coors. Paul Newan aussi » pouvait-on lire dans l'article. C'était l'instant magique qui aurait pu propulser Coors au sommet de l'échelle de la bière. Mais les choses se sont passées autrement.

Encouragée par ses lauriers médiatiques, Coors a eu recours à la publicité pour déployer la marque au niveau national. Malheureusement, la campagne a vidé la marque de tout prestige. Elle a oublié de mentionner ce qui était pourtant écrit en grosses lettres sur l'étiquette, « La bière légère la plus raffinée d'Amérique ». Coors a en fait été la première bière légère du pays. (La bière Coors normale contient moins de calories que la Michelob légère.)

Puis, Coors a saboté son héritage de bière légère en édulcorant son produit phare avec une marque baptisée Coors Light. (La distillerie Jack Daniel aurait-elle lancé le Jack Daniel's Light ?)

Puis, Coors a saboté son héritage d'eau de source des Rocky Mountains en ouvrant une deuxième brasserie en Virginie. Coors avait passé plus d'un siècle à dire aux amateurs de bière que l'eau de source des Montagnes Rocheuses était l'ingrédient qui conférait à la bière sa saveur unique. Et voila que, pour économiser des coûts de transport, Coors décide d'utiliser l'eau de source d'Elkton, en Virginie, pour fabriquer sa bière.

Qu'est-ce qu'elle a de spécial, l'eau des Rocky Mountains, si les buveurs de Coors de la côte est n'y ont pas droit ?

Quand Coca-Cola perd le nord

Coca-Cola est tombé dans le même piège. Comme Coors, la société Coca-Cola a régulièrement renié son histoire, son héritage et son mythe au profit d'une publicité prétendument créative et intelligente. Voici un bref historique des principaux thèmes de la publicité pour Coca :

1886 *Drink Coca-Cola* (Buvez Coca-Cola)

1893 *The ideal brain tonic* (Du tonus pour l'esprit)

1905 *Coca-Cola revives and sustains* (Coca-Cola remonte et entretient)

1922 *Thirst knows no reason* (Partout et à tout moment)

1929 *The pause that refreshes* (La pause qui rafraîchit)

1941 *Everything your thirst could ask for* (C'est un Coke que vous voulez)

1956 *Coca-Cola, making good things taste better* (Coca-Cola, et les bonnes choses sont encore meilleures)

1960 *Coke refreshes you best* (Rien ne vous rafraîchit comme un Coke)

1970 *It's the real thing* (Le goût de l'authentique)

1971 *I'd like to buy the world a Coke* (A la santé du monde)

1979 *Have a Coke and a smile* (Un Coca-Cola et un sourire)
1982 *Coke is it* (Coca-Cola c'est ça)
1985 *New Coke*
1989 *Can't beat the feeling* (Cette sensation s'appelle Coke)
1990 *You can't beat the real thing* (Rien ne vaut le goût de l'authentique)
1993 *Always* (Toujours)
1998 *Enjoy* (Vivez l'instant)
2001 *Life tastes good* (Sourire la vie)
2002 *All the world loves Coke* (Coke, le monde entier l'adore)

Certains de ces slogans sont communs, triviaux et bêtes. Coca-Cola utilisait « Enjoy » au moment où Pepsi utilisait « The joy of cola ». Ensemble, les deux géants du cola dépensaient 382 millions de dollars par an pour dire aux consommateurs de succomber aux charmes du cola.

Deux fois seulement, en 1970 et en 1990, Coca-Cola est revenu à ses racines et a orchestré le type de campagne de publicité qui aurait toujours dû être le sien. Le type de campagne qui renforce l'héritage de la marque.

En 1970, Coca-Cola a diffusé un spot télé qui s'ouvrait sur une image du Grand Canyon. « Il y a environ 3 000 canyons dans le monde, mais il n'y a qu'un Grand Canyon. Quand vous trouvez l'authentique… sur la route, dans un musée, ou dans votre réfrigérateur… vous le savez. »

Le spot contenait également des images de symboles comme la Statue de la Liberté, l'Empire State Building, les Chutes du Niagara et le Pont du Golden Gate. Et une Rolls, une Harley, la Joconde, une bague de fiançailles en diamants, une tranche d'apple-pie, un cône de crème glacée et, bien sûr, une bouteille givrée de Coca, l'authentique.

Si Coca-Cola avait été une équipe de football, ses fans dans les gradins auraient crié, « C'est nous les authentiques ! » Ils n'auraient jamais crié des trucs comme « Enjoy » ou « Always » ou « All the World loves Coke ».

Une idée ancienne, surtout si elle est chargée d'affect et d'émotion, résonne dans l'esprit. Une idée nouvelle, surtout si elle est originale, est en général accueillie avec scepticisme.

L'image d'authenticité associée à Coca explique également le désastre du New Coke. New Coke a ébranlé les fondements mêmes de la marque, comme la Coors Light et la brasserie d'Elkton ont ébranlé les racines de Coors.

Quand Callaway perd le nord

Le produit qui a rendu la marque célèbre est le driver Callaway Big Bertha. Mais les clubs de golf n'ont pas suffi à Callaway.

Callaway Golf a dépensé 170 millions de dollars dans la construction d'un site de fabrication pour une nouvelle balle de golf, que la société a baptisée la Callaway Rule 35. Et les dirigeants ont dépensé une autre petite fortune en engageant le champion Arnold Palmer pour promouvoir le produit.

Les ventes de la Callaway 35 Rule la première année ont été de 3 malheureux millions de dollars.

Se dresser contre le leader du marché de la balle de golf (Titleist) avec une extension de gamme (Callaway) était déjà une mauvaise idée. Mais essayer d'accomplir cette tâche quasiment impossible avec une campagne de publicité est le summum de la bêtise.

(Les bons noms de marque, comme St. Charles Consulting, contiennent souvent les germes d'une bonne histoire, qui intéressera les médias. Pourquoi avez-vous appelé votre nouveau club de golf le Big Bertha, Monsieur Callaway ? Parce que le club me rappelait le canon que les Allemands ont mis au point pendant la Première guerre mondiale pour envoyer des obus sur Paris à 50 kilomètres de distance.)

Que signifie donc la Rule 35 (Règle 35) ? Pas grand-chose. Ce nom fait référence aux 34 règles qui définissent la taille, les spécifications et la performance des balles de golf.

En grandissant, les entreprises ont tendance à oublier ce qui les a rendues célèbres. Une nouvelle catégorie, un bon nom et une campagne de RP puissante, voilà ce qui a fait le succès du Callaway Big Bertha. La publicité n'y a joué qu'un rôle mineur. Quand une société se développe et réussit (Callaway est de loin le premier fabricant de clubs de golf), elle pense qu'elle peut brûler les étapes et passer directement à un lancement publicitaire tonitruant.

Oui, Callaway a besoin de faire de la publicité aujourd'hui ; mais pas pour lancer des balles de golf, pour défendre sa position de leader sur le marché des clubs.

Nous avons eu l'occasion de travailler comme consultants pour de nombreuses sociétés comme Callaway Golf. Elles savent que les extensions de gamme connaissent rarement le succès mais il leur suffit de trouver une exception à la règle générale pour foncer tête baissée.

Parce que General Electric a su devenir une marque ombrelle, elles aussi peuvent le faire.

Parce que Nike a pu rendre mémorable un thème qui ne veut pas dire grand-chose (« Just do it »), elles aussi peuvent le faire.

Parce que Wal-Mart a réussi à vendre de tout, elles aussi peuvent le faire.

Parce que Microsoft a pu faire d'une deuxième marque (son navigateur) le leader de sa catégorie, elles aussi peuvent le faire.

Quelqu'un a gagné 100 millions au Loto et donc vous aussi vous pouvez le faire. C'est vrai, mais les chances sont minces. Qui plus est, il est probable que la position de votre entreprise est très différente de celle des sociétés que nous venons de citer. Dans la plupart des situations, votre société n'est pas Nike. Pas Microsoft. Pas Wal-Mart. Et pas General Electric.

Croyez-nous. On trouve toujours au moins une exception à toute règle. Vous avez le choix. Vivre selon les règles et accepter la possibilité de manquer une opportunité parce que vous n'aurez pas brisé une des règles. Ou vivre dans l'anarchie.

Quand Xerox perd le nord

L'une des plus grosses erreurs marketing est de vouloir utiliser la publicité pour lancer une extension de gamme.

- Les chaussures de sport Nike, les clubs de golf Nike
- Le gin Tanqueray, la vodka Tanqueray
- Le ketchup Heinz, la sauce piquante Heinz

L'extension de gamme est particulièrement dangereuse quand c'est la publicité qui est retenue pour communiquer sur le produit ou le service. Xerox, l'une des sociétés les plus pointues du monde au niveau technologique, a voulu commercialiser une gamme d'unités centrales Xerox. Puis une gamme de PC Xerox. Les deux produits ont échoué.

Dans les deux cas, Xerox a fait appel à la publicité pour communiquer sur ses produits informatiques. Mais la publicité n'a pas de crédibilité auprès des acheteurs. « Les ordinateurs Xerox ? Cela n'a aucun sens. Xerox fabrique des photocopieurs. »

Xerox a des références dans le domaine de la photocopie. Xerox n'a aucune « lettre de recommandation » dans le domaine informatique. Et ce n'est pas la publicité qui apportera de la crédibilité aux unités centrales ou aux PC de la marque mais bien les RP. C'est aussi simple que ça.

Les aspects « me too » de ces produits ont également entravé la capacité de Xerox à élargir sa marque. Xerox n'était pas le numéro 1 des ordinateurs. La société ne semblait pas posséder de réel avantage concurrentiel dans ce domaine. En conséquence de quoi, la presse a réagi par des articles neutres, au mieux. Le succès ou l'échec des produits reposaient donc totalement sur la publicité.

Et quand vous n'avez que la publicité pour imposer votre marque, il y a péril en la demeure.

Quand Amazon. com perd le nord

Amazon. com est une marque qui s'est construite grâce à la presse et aux relais d'opinion. À un moment donné, Amazon. com était même plus cité dans les médias que Bill Clinton. Mais les temps ont changé.

Aujourd'hui, Amazon. com a besoin de faire de la publicité pour entretenir et renforcer sa marque. Entendons-nous : sa marque de libraire, pas sa marque de foire-à-tout. C'est d'autant plus vrai que les ventes de livres sur Amazon. com sont relativement stationnaires.

Amazon devrait tout miser sur les salons du livre, les bibliothèques itinérantes, le sponsoring de séminaires avec des auteurs connus, les terminaux Amazon en librairie et, bien entendu, une campagne de pub pour dynamiser son activité livres. L'objectif d'Amazon devrait être de se concentrer sur le marché du livre et de faire passer sa part de marché de 7 à 25 %.

Mais non. C'est pour se développer dans d'autres catégories de produits qu'Amazon fait de la pub.

Avec des résultats catastrophiques. Si Amazon était un drugstore, un grand magasin ou une chaîne de détail, les investisseurs réclameraient la tête de Jeff Bezos. (Bien sûr, au prix d'efforts surhumains, Amazon a réussi à dégager un petit profit sur le quatrième trimestre 2001. Mais la société va-t-elle poursuivre sur cette voie ? Nous en doutons. Un trimestre, c'est maigre.)

Mais pas chez Amazon, l'enfant chéri de la nouvelle économie. Ne vous inquiétez pas, semble dire Jeff Bezos, nous avons suffisamment d'argent pour tenir jusqu'à ce que nous soyons à l'équilibre et devenions rentables.

Quel que soit le nombre de millions dont on dispose, si on perd de l'argent trop longtemps, on finit par faire faillite. Ne vous y trompez pas : Amazon ira rejoindre la poubelle de l'histoire si la société ne change pas de stratégie. Amazon continue d'engloutir des millions de dollars publicitaires dans le problème sans faire marche arrière ni revoir sa stratégie.

La publicité ne vaut rien pour créer une marque et la publicité ne vaut rien pour changer une marque une fois que celle-ci existe.

« Ce n'est pas l'Oldsmobile de votre père » n'a pas fait baisser l'âge moyen de l'acheteur d'une antiquité.

« Nous ne vendons pas seulement des livres » est un concept publicitaire qui a à peu près autant de chances de réussir que la campagne Oldsmobile.

La seule planche de salut d'Amazon serait une campagne de RP, encore que le pari soit loin d'être gagné. Pourquoi Amazon ne renonce pas à la publicité au profit des RP pour étendre sa marque ?

La réponse est toujours la même. « Nous n'avons pas le temps d'attendre qu'une campagne de RP porte ses fruits. Nous devons aller vite pour que personne ne nous coiffe sur le poteau. »

Le dilemme est réel. D'un côté, le vainqueur durable est en général la marque qui conquiert les esprits en premier. De l'autre, les campagnes de RP exigent du temps.

Les sociétés essayent donc de court-circuiter le processus en utilisant la publicité pour forcer leur chemin dans les esprits. C'est un raisonnement compréhensible. Ce qui est incompréhensible, en revanche, c'est de persister dans une stratégie inefficace. On ne peut demander à la publicité de faire le travail des RP.

Selon les analystes, Amazon gagne de l'argent sur son cœur de métier : les livres, la musique et les vidéos. Et perd de l'argent sur les autres produits et services dont elle fait vainement l'article, et Dieu sait que la liste est longue : enchères, articles pour bébés, appareils de photos et produits photo, voitures, téléphones portables et services de téléphonie, ordinateurs, logiciels, produits électroniques, santé et cosmétiques, électroménager et produits pour la maison, abonnements à des magazines, matériel et fournitures de plein air, outils et matériel, jouets et jeux, et voyages.

Le cœur de métier d'Amazon compte pour 58 % de son chiffre d'affaire. Et si Amazon se recentrait sur les livres, la musique et les vidéos ? C'est une décision qu'un comptable n'hésiterait pas une seconde à prendre. Quand vous êtes l'Homme de l'Année 1999 du magazine *Time*, comme l'a été Jeff Bezos, vous trouvez sans doute la pilule un peu dure à avaler.

L'aspect positif du recentrage et du retour aux sources est que vous n'avez pas besoin de renoncer à vos autres produits et services. Il vous suffit de lancer toutes les marques dont vous avez besoin de sorte que chacune possède une identité propre et incarne quelque chose dans l'esprit des consommateurs.

N'oubliez pas que les marques se créent avec des RP. Et une nouvelle marque est davantage susceptible d'attirer l'attention des médias que l'extension de gamme d'une marque ancienne. Les nouvelles marques qu'ont été Lexus, Dockers, DeWalt, Palm et BlueBerry ont donné lieu à des milliers d'articles.

Polaroïd, Xerox et Kodak

Amazon a toujours la possibilité de se replier sur son cœur de métier, mais c'est loin d'être le cas pour tout le monde. Prenons trois exemples récents : Polaroïd, Xerox et Kodak.

Ces trois marques sont associées à des catégories de produits qui ne sont plus de prime jeunesse. Polaroïd et la photo instantanée, Xerox et le photocopieur à papier normal et Kodak et la pellicule photo. Les trois sociétés essayent très exactement de faire la même chose qu'Amazon : élargir leur marque pour y inclure d'autres lignes de produits.

L'histoire nous prouve que cette démarche est vouée à l'échec. Plus le nom de la marque est mémorable, plus il est difficile de faire évoluer la perception des valeurs qui y sont associées dans l'esprit des prospects.

Western Union incarnait les télégrammes mais le marché a disparu et la société a entrepris de pénétrer le marché des télécommunications longue distance. Alors que Westren Union était un nom plus connu que Sprint ou MCI, la société n'a jamais pu se faire une place dans le domaine des télécommunications. Après avoir perdu 600 millions de dollars, Western Union a cessé ses activités de télécommunications et s'est repliée sur ses activités de transferts de fonds.

Pour paraphraser Scott Fitzgerald, il n'y a pas de deuxième acte dans la création de marque. Une fois qu'une marque est solidement installée dans l'esprit des consommateurs, il est difficile de modifier sa perception. Que devrait donc faire une société propriétaire d'une marque de légende ? Lancer une deuxième marque.

Il est peut-être trop tard pour Polaroïd, Xerox et Kodak qui conduisent depuis si longtemps sur l'autoroute de la marque unique qu'elles ne perçoivent pas l'avantage d'une deuxième marque. Mais il n'est pas trop tard pour Amazon. Amazon est une société jeune, dont la culture n'est pas encore figée comme celle de ces vieilles dames que sont Polaraoïd, Xerox et Kodak. Le temps nous le dira.

Smirnoff contre Absolut

Reste que les dirigeants de beaucoup d'autres grandes entreprises se retranchent derrière leurs barricades de gros budgets publicitaires avec la conviction qu'aucun nouveau venu ne peut mettre leur royaume en péril. Ils oublient les RP. La publicité ne protège pas contre les campagnes de RP lancées par de nouvelles marques dans une nouvelle catégorie.

Heublein, la société propriétaire de la vodka Smirnoff, la deuxième marque d'alcool la plus vendue en Amérique, a refusé de distribuer la vodka Absolut à cinq reprises.

« Si ces Suédois viennent ici et essayent de lancer une vodka haut de gamme qui menacerait notre Smirnoff » a déclaré un des dirigeants d'Heublein, « nous lancerons la vodka la plus chère du monde, une Smirnoff de Tsar, et nous leur en foutrons plein la gueule. »

Les ventes d'Absolut se sont envolées et Heublein a effectivement lancé une vodka haut de gamme, la Smirnoff Black. Mais la Smirnoff Black n'a pas fait rendre l'âme à Absolut, qui a poursuivi son ascension vers les sommets. (La marque Smirnoff est désormais passée dans le giron de Diageo, le plus grand groupe mondial de vins et spiritueux.)

Quand les extensions de gamme font perdre le nord

Une extension de gamme ne l'emportera quasiment jamais sur une nouvelle marque qui a eu les honneurs des médias.

- Le Jornada de Hewlett-Packard a-t-il supplanté le Palm ? Non.
- La sauce piquante Heinz a-t-elle supplanté la sauce piquante Pace ? Non.
- L'acétaminophène de Bayer a-t-il supplanté le Tylenol ? Non.
- Le PC d'IBM a-t-il supplanté Dell ? Non.
- Le téléphone mobile Motorola a-t-il supplanté Nokia ? Non.

Pourquoi les sociétés lancent-elles des extensions de gamme plutôt que de nouvelles marques ? Pour des raisons d'argent le plus souvent. « Nous n'avons pas les moyens de lancer une nouvelle marque. »

Quand vous creusez plus profond, vous découvrez que la publicité est au cœur du sujet. C'est le coût du lancement publicitaire de la nouvelle marque qui maintient les entreprises dans le train-train de l'extension de gamme.

Nouvelles marques contre vieilles marques

Quelle ironie du sort. Les nouvelles marques devraient être lancées en faisant des RP, pas de la pub. Ce sont les vieilles marques qui ont besoin de publicité, oxygène de leur équipement de vie. Les nouvelles marques ont besoin de la crédibilité que seules les RP peuvent apporter.

Les nouvelles marques ont besoin de RP. Les marques anciennes ont besoin de publicité. Mais ce n'est pas l'âge qui fait vieille une marque. Si la marque n'est pas présente dans l'esprit des consommateurs, alors, pour le consommateur, c'est une « nouvelle » marque, même si elle existe sur le marché depuis des dizaines d'années.

En termes marketing, faire évoluer la position d'une marque ancienne requiert les mêmes ingrédients qu'une « nouvelle » marque. Le changement a besoin d'une approche RP, pas d'une approche pub.

La publicité et les relations publiques peuvent cohabiter avec bonheur, à la condition toutefois que chaque discipline accepte son rôle légitime au sein de la famille marketing.

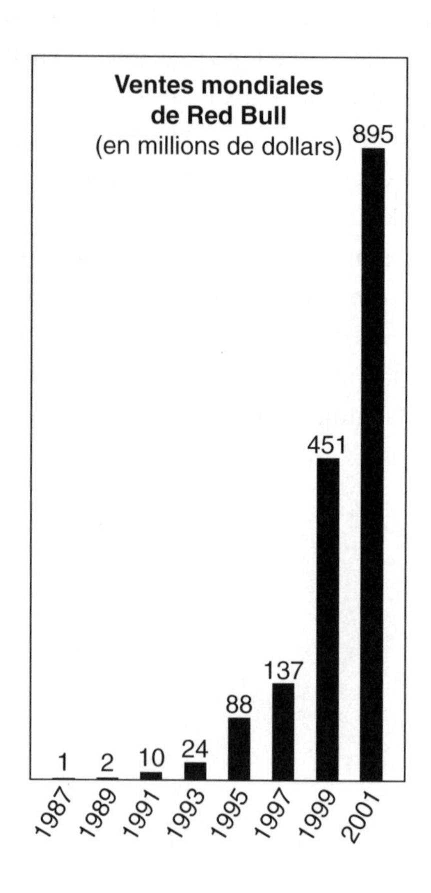

Les grandes marques commencent toujours lentement. Il a fallu quatre ans à la boisson énergétique Red Bull pour atteindre le cap des 10 millions de dollars de ventes et cinq ans encore pour passer la barre des 100 millions de dollars. En 2002, ce sera le milliard de dollars.

23

Un temps pour chaque chose

Bâtir une marque forte est un long travail, patient et méthodique. Il faut plusieurs décennies, dit le vieux dicton, pour être célèbre en une nuit.

Bien entendu, il y a des exceptions. Des étoiles filantes, comme Microsoft. Mais ces exceptions interviennent en général dans des secteurs en pleine croissance, qui entraînent les marques leaders avec eux. Dans la très grande majorité des cas, il faut de longues années (voire plusieurs décennies) à une marque pour se faire une place au soleil.

Prenons l'exemple de la boisson énergétique Red Bull. La marque a été lancée en Autriche en utilisant essentiellement des techniques de RP et de merchandising, pour ne se tourner vers la publicité qu'après avoir acquis une réelle notoriété.

Il a fallu quatre ans à Red Bull pour atteindre la barre des 10 millions de dollars de chiffre d'affaires. Aujourd'hui, les ventes annuelles de Red Bull avoisinent les 895 millions de dollars et la marque est devenue un gros annonceur. Quand vous essayez de brûler les étapes du processus de création de la marque en appuyant à fond sur la pédale publicitaire, vous courez droit à la catastrophe.

La création d'une enseigne de distribution

Considérons l'exemple de Wal-Mart. La société a démarré ses activités de commerce de détail en 1945. (Le nom Wal-Mart n'a été adopté qu'en 1962.) Quinze ans après sa création, Wal-Mart possédait neuf magasins et réalisait un chiffre d'affaires de 1,4 million de dollars. Dix ans plus tard, le chiffre d'affaires de Wal-Mart était de 31 millions. Dix ans plus tard, 1,2 milliard. Dix ans plus tard, 26 milliards. Dix ans plus tard, 193 milliards.

Wal-Mart est aujourd'hui en passe de devenir, en termes de chiffre d'affaires, la plus grande entreprise du monde.

Il faut du temps, vous direz-vous peut-être, pour bâtir une entreprise. Trouver les bons collaborateurs. Et trouver les financements nécessaires. Jusqu'à un certain point, tout cela est vrai. Mais cela ne suffit pas à expliquer la lenteur du processus de création d'une marque.

Le vrai handicap, c'est l'esprit humain. Il faut en général des dizaines d'années pour bâtir une marque parce qu'il faut des dizaines d'années pour franchir le seuil de cette matière grise qui se trouve entre nos deux oreilles.

On comprend mieux, dès lors, que bon nombre des marques les plus puissantes d'aujourd'hui ne soient pas des jeunettes. General Electric, la première marque de produits électriques du monde, a été fondée en 1892. Mercedes-Benz, la première marque automobile du monde, en 1885. La porcelaine Wedgwood en 1759. Le champagne Moët & Chandon en 1743. Le cognac Rémi Martin en 1724.

La marque Wal-Mart a débuté lentement, en utilisant les techniques traditionnelles de RP propres aux petites villes de province. Parades avec fanfares, majorettes, chars. Wal-Mart a également abondamment décliné le concept du concours, de la poésie à la chanson en passant par les bébés. Les jours de fête, tout le personnel des magasins se déguisait.

Aujourd'hui, naturellement, Wal-Mart dépense un demi-milliard de dollars par an en publicité mais pas pour établir sa marque. (La notoriété de la marque a déjà été établie grâce aux RP.) L'argent sert à défendre la marque contre ses concurrents Kmart et autres Target.

Une marque se déploie et grandit grâce au contact humain, un peu à la manière d'un rhume. Il faut une couverture médiatique ou des actions de RP pour mettre la machine en marche (et pour l'entretenir) mais une fois la mécanique lancée, vous devez laisser le temps au bouche à oreille d'accomplir sa mission.

Changer les esprits

Il y a une autre raison pour laquelle le processus d'installation de la marque peut prendre du temps. Pour bâtir une nouvelle marque, il faut souvent agir sur les perceptions du prospect et son attitude vis-à-vis d'une marque dont il est familier.

Depuis quand ne vous êtes-vous pas remis en question ? Une semaine ? Un an ? Vous ne savez plus ? La plupart des gens sont incapables de se souvenir avoir jamais changé d'avis parce qu'ils sont convaincus de détenir la « vérité ». Changer d'avis, se remettre en question, c'est admettre que ce que l'on tenait pour une vérité ne l'est pas. Une démarche difficile pour la plupart d'entre nous.

C'est à travers un processus lent qui pourra prendre des mois voire des années qu'un individu confronté aux preuves qu'il est dans l'erreur acceptera petit à petit une nouvelle vérité et oubliera qu'il a un jour soutenu le point de vue opposé.

C'est là le point le plus important. C'est le processus d'oubli de l'ancienne vérité qui permet à une personne d'en accepter une nouvelle. Et il faut lui laisser le temps de s'accomplir.

Les journalistes sont aussi des êtres humains. Ils considèrent les concepts de RP révolutionnaires du même œil que vos prospects. C'est nouveau, c'est différent et c'est automatiquement suspect. Il faut laisser à cette méfiance le temps de disparaître.

Avoir la patience d'attendre que les journalistes soient influencés par ce qu'ils lisent, voient ou entendent dans d'autres médias.

La création d'une boisson de l'effort

Gatorade est une marque qui pèse 2 milliards de dollars et détient 79 % du marché des boissons de l'effort. Gatorade était la marque phare de Quaker Oats lorsque la société a été rachetée par PepsiCo pour 14 milliards de dollars.

Si vous ne connaissez pas l'histoire des soft drinks, vous penserez peut-être que Quaker Oats a lancé Gatorade avec une énorme campagne de publicité. Rien n'est plus éloigné de la vérité.

Dans les années 1960, une équipe de chercheurs de l'Université de Floride dirigée par le Dr. Robert Cade a mis au point une boisson pour recharger l'organisme en sels minéraux. Ils l'ont testée sur l'équipe de football de l'université, les Florida Gators. Après une saison 1965 triomphante, les Gators ont acquis la réputation d'être les rois de la deuxième mi-temps à cause de leur endurance. Lorsqu'ils ont battu leurs adversaires de l'Orange Bowl, l'entraîneur de l'équipe vaincue a déclaré, « Nous n'avions pas Gatorade. C'est ce qui a fait la différence », une phrase qui a été reprise dans le magazine *Sports Illustrated.*

Cela a été l'instant magique, le coup médiatique qui a fait démarrer la campagne Gatorade. La marque est finalement devenue la boisson officielle de la NFL, de la NBA, de la PGA, de la NASCAR et de nombre d'autres associations et manifestations sportives.

Au fil des ans, Gatorade a su maintenir cette continuité entre les RP et la publicité, et notamment le rituel qui consiste à déverser un seau de Gatorade sur la tête de l'entraîneur de football vainqueur.

À l'image de ses sœurs Pepsi-Cola et Mountain Dew, Gatorade est aujourd'hui une marque qui fait beaucoup de publicité, surtout à la télévision. Pendant plusieurs années, Michael Jordan a été le porte-parole de la marque, avec le concept « Sois comme Mike ».

Où est la cause, où est l'effet ? Est-ce que Michael Jordan a fait de Gatorade une marque célèbre ? Ou est-ce que le succès de la marque Gatorade a généré suffisamment d'argent pour que la société engage Michael Jordan comme porte-parole de la marque ?

La publicité, et la publicité télévisée en particulier, est la marque de la réussite dans le monde de l'entreprise. Un peu comme l'avion privé. C'est la réussite d'une entreprise qui lui permet d'acheter un Gulfstream, et pas l'inverse. Il en va de même de la publicité.

Cela fait-il de la publicité (et de l'avion privé, en l'occurrence) un mauvais investissement ? Absolument pas. La publicité est un mauvais investissement pour une marque qui vient de naître. La publicité est un excellent investissement pour une marque leader ou « reine du château ».

Vous seriez peut-être choqué en apprenant combien coûte à Gatorade son partenariat avec la NFL. Reste que ce sont des investissements marketing comme celui-ci qui rendent quasiment impossible à Powerade ou All-Sports de jamais détrôner la reine des boissons énergétiques du château NFL.

La publicité ne peut pas changer les esprits

La publicité possède une autre caractéristique qui la rend peu apte à faire évoluer les esprits – ce qui est précisément ce que vous avez besoin de faire quand vous lancez une nouvelle marque. En termes d'impact par franc dépensé, une petite dose de publicité n'est pas aussi efficace qu'une grosse dose.

La chose la plus facile à cacher aujourd'hui en Amérique est une campagne de pub télé à un million de dollars. Personne ne remarquera jamais une dose aussi infime. Si vous ne dépensez pas suffisamment d'argent pour vous élever au-dessus du brouhaha, tout votre investissement publicitaire n'aura été qu'une perte d'argent.

C'est la raison pour laquelle les agences de publicité encouragent les lancements « big-bang ». Leur seul espoir d'avoir un impact est de dépenser suffisamment d'argent pour ouvrir une brèche dans l'apathie des consommateurs vis-à-vis de la publicité. (Il est admis en publicité qu'un téléspectateur doit être exposé au moins trois fois à un spot pour comprendre le message et s'en souvenir.)

L'approche big-bang n'est pas nécessairement une mauvaise idée pour une campagne de publicité mais c'est une mauvaise stratégie pour qui cherche à se faufiler dans l'esprit humain. On n'enfonce pas une idée à coups de marteau dans le crâne de quelqu'un, on la laisse s'y infiltrer.

Les marques qui réussissent s'infiltrent lentement dans les esprits. Un argumentaire dans un magazine. Un entrefilet dans un journal. Le commentaire d'un ami. Une exposition dans un magasin. Une montée en régime progressive dans les médias et les gens finissent par être convaincus qu'ils connaissent la marque depuis toujours. (Depuis quand connaissez-vous Gatorade ? Qui serait capable de s'en souvenir ?)

La création d'une marque de whiskey

La première distillerie officiellement déclarée en Amérique fut la Distillerie Jack Daniel. Située à Lynchburg, dans le Tennessee, la société a fait l'objet de milliers d'articles depuis sa fondation en 1868. Chaque année, quelque 250 000 personnes visitent le site pour contempler les cuves de maturation de charbon et l'eau sans fer qui coule d'une source souterraine à une température constante de 13,3°C.

La communication publicitaire de Jack Daniel's, c'est une sage stratégie, reflète et renforce les perceptions créées par les actions de RP. « 134 ans. 7 générations. Une recette. » peut-on ainsi lire sur les panneaux d'affichage.

Quand on découvre la distillerie de Lynchburg, on ne peut s'empêcher de se dire, « C'est exactement comme dans la pub ! » Est-ce créatif ? En dépit de la concurrence de la vodka, du gin et de la tequila, Jack Daniel's est devenu la septième marque d'alcool la plus vendue au monde.

Jack Daniel's constitue un bon exemple de marque ayant su passer en douceur des relations publiques à la publicité, cette dernière déclinant et relayant les perceptions créées par les campagnes de RP. Si les campagnes de pub de la marque ne brillent pas par leur créativité, elles sont efficaces et rentables.

La première brasserie enregistrée en Amérique a été Yuengling. Yuengling ? Avec un nom pareil, il était inéluctable que Gentleman Jack se fasse une place au Panthéon du whiskey et que M. Yuengling se perde dans les corridors de l'histoire du houblon.

La création d'une marque de petite voiture

En 1999, *Advertising Age* a sélectionné les cent meilleures campagnes de tous les temps. En tête du palmarès figurait la campagne Volkswagen diffusée dans les années 1960. La légende voudrait vous faire croire que l'agence Doyle Dane Bernbach a fait d'une marque automobile inconnue un succès colossal. Mais Volkswagen était loin d'être une marque inconnue avant que DDB emmène la Coccinelle dans la plus grande aventure publicitaire de sa vie.

Volkswagen est arrivé sur le marché américain en 1949, l'année où l'agence DDB a été créée. Au cours des dix ans qui ont suivi, la marque allemande a suscité de nombreux articles favorables dans la presse, dont une évaluation dithyrambique dans *Consumer Reports*. En 1959, VW était devenue la voiture étrangère la plus vendue aux États-Unis. Cette année-là, VW vendit 120 442 voitures sur le marché américain, comptant pour 20 % du segment des voitures d'importation.

L'année suivante, la première publicité « Voyez petit » (Think Small) de DDB pour Volkswagen faisait son apparition... le reste appartient à l'histoire du marketing.

Aussi percutante la campagne ait-elle été, l'équipe de DDB n'est pas partie de rien. Et elle n'aurait pas pu. La publicité a besoin de la crédibilité créée par les RP. La campagne Volkswagen a fait ce que la publicité sait le mieux faire. Rendre une marque connue encore plus connue.

Que ce serait-il produit si les campagnes « Voyez petit » et « Citron » (*lemon*, en Américain, voiture de mauvaise qualité) avaient été lancées en 1949 au lieu de 1959 ? Probablement pas grand-chose. Les thèmes « petite, moche, fiable » ont été créés par la presse, puis repris en publicité pour « attiser la flamme ».

La publicité s'apparente à une plaisanterie qui exploite les perceptions déjà présentes dans l'esprit. Si vous faites une plaisanterie sur le poids de Drew Carey (« Une lourde charge pèse sur les épaules de Carey »), la plaisanterie n'est pas drôle si le public se dit « Qui est Drew Carey ? »

La campagne « Citron » pour VW a retenu l'attention du lecteur parce qu'il était convaincu de l'inverse. Pourquoi qualifient-ils la voiture la plus fiable du marché de poubelle ? « Cette Volkswagen a manqué le bateau », dit le texte de la pub. « La bande de chrome sur la boîte à gants est tâchée et doit être remplacée. Il est probable que vous ne l'auriez pas remarqué ; le contrôleur Kurt Kroner, lui, l'a vu. »

« Oh, je comprends ! », se dit le lecteur. « Les Volkswagen sont fiables parce que chaque voiture est minutieusement contrôlée. »

En outre, la crédibilité de la publicité était renforcée par le fait que tout le monde savait qu'il fallait s'inscrire sur une liste d'attente pour commander une Coccinelle, que la marque ne faisait pas de remise et que l'acheteur devrait vendre lui-même son ancienne voiture parce que la plupart des concessionnaires VW ne faisaient pas de reprise.

Ce sont ces perceptions (fiabilité, liste d'attente, prix fort, pas de reprise) qui ont rendu la campagne Volkswagen aussi efficace.

Supposons maintenant qu'il se soit agi d'une publicité pour une Yugo. Même mise en page, même visuel, même accroche, même texte, même créativité. Le lecteur se dirait-il, « Wow ! Je ne savais pas que les Yugo étaient aussi fiables ! » ?

Non, bien entendu. Il est vraisemblable que le lecteur penserait, « De qui se moque-t-on ? La Yugo est un désastre. »

La publicité ne fait pas les marques. Et la publicité n'installe pas non plus d'idées nouvelles dans l'esprit des prospects. La publicité s'empare d'idées anciennes qui existent déjà dans leur esprit et les renforce, les associe entre elles ou joue avec. Communiquer, ce n'est pas battre le rappel des supporters.

Les publicités Volkswagen étaient-elles créatives ? Selon les critères actuels, sans doute pas. En vingt ans de publicité, Volkswagen n'a jamais utilisé d'animaux, test ultime en matière de créativité.

Considérons en particulier les campagnes primées. On peut supposer qu'elles représentent ce que le secteur a de mieux à offrir. Toutes autant qu'elles sont, seraient-elles efficaces si la promesse de la marque n'était pas déjà présente dans l'esprit du lecteur ou du spectateur ?

La création d'un « coffre-fort roulant »

En 1996, une publicité pour Volvo s'est vue décerner le Grand Prix au Festival International du Film Publicitaire de Cannes, récompense la plus prestigieuse du monde. C'était une annonce presse qui ne comportait pas de texte, seulement un visuel : une épingle de sûreté en forme de Volvo.

Est-ce que les lecteurs se sont dits, « Mais que fait une épingle de sûreté dans une pub pour une voiture ? » Non, ils savaient parfaitement pourquoi l'épingle était là. « Comme c'est mignon. Une épingle de sûreté qui a la forme d'une voiture réputée pour ses équipements de sécurité. »

Est-ce qu'une épingle de nourrice en forme de Chevrolet (à supposer que vous arriviez à déterminer à quoi ressemble une Chevrolet), constituerait un visuel efficace pour une pub pour Chevrolet ?

Volvo a lancé les premières ceintures de sécurité en 1959 et, cinquante ans plus tard, la publicité Volvo capitalise toujours sur la réputation de « coffre-fort roulant » que la marque a su bâtir grâce aux médias.

La montée en régime progressive de Volkswagen

Toutes les marques, même les plus grandes, commencent petit. Volkswagen n'a pas fait exception. Six ans après son lancement sur le marché américain, la marque vendait seulement 30 000 voitures.

Ce n'est que treize ans plus tard, en 1968, que la marque s'est réellement imposée. Cette année-là, Volkswagen a vendu 564 000 voitures aux États-Unis, comptant pour 56 % des ventes de voitures étrangères.

En d'autres termes, il a fallu dix-neuf ans à VW pour devenir une grande marque. Les dix premières années ont été essentiellement placées sous le signe des RP, les neuf suivantes, sous le signe de la publicité. Les RP d'abord, la pub après, c'est presque toujours la meilleure stratégie pour créer une marque.

Cette règle d'or et le principe de la montée en régime progressive par les RP ont conduit certaines grosses agences à fuir les nouvelles marques comme la peste. La publicité a beau être la façon dont les grandes marques sont devenues de grandes marques, essayez donc de franchir le seuil d'une grande agence américaine avec un nouveau produit et un petit budget sous le bras. Et puis dites au directeur des nouveaux comptes, « Aidez-moi à bâtir une grande marque. »

Les grandes agences pour lesquelles nous avons travaillé décourageaient activement leurs responsables d'aller à la pêche aux nouvelles marques. Ce qu'elles voulaient, c'étaient des marques qui existaient déjà, de préférence avec des budgets publicitaires énormes. C'est un fait que la plupart des très grandes marques ont été lancées par de petites agences pour se tourner ensuite, une fois installées, vers de grosses agences.

La montée en régime progressive d'Absolut

Absolut est une très grande marque, l'une des cent marques les plus valorisées au monde. Mais la première agence de publicité d'Absolut a été Martin Landey, Arlow, une petite agence de New York. Au bout de deux ans de travail acharné, la vodka suédoise vendait moins de 25 000 caisses par an.

Martin Landey, Arlow, a alors été rachetée par l'agence Geer, Gross, qui s'est empressée de se séparer du budget Absolut parce qu'elle avait déjà comme client une marque d'alcool, Brown-Forman. (Grossière erreur.)

Arnie Arlow quitta ensuite l'agence pour devenir directeur artistique de TBWA, une autre petite agence, qu'il aida à conquérir le budget Absolut... pour l'emmener jusqu'au sommet. Finalement, TBWA passa sous le giron d'Omincom, troisième groupe publicitaire mondial avec un chiffre d'affaires de plus de 6 milliards de dollars par an.

Est-ce qu'Omnicom a créé la marque Absolut ? Ou est-ce qu'Omnicom a acheté le droit de vanter la marque Absolut ?

Les grosses entreprises ne créent généralement pas de grandes marques non plus parce qu'elles n'ont pas la patience d'attendre la longue période de gestation qu'exige la création d'une marque. Nous avons observé que la plupart de grandes marques ont été lancées par de petites entreprises qui ont fini par se vendre à des sociétés plus importantes. Et la plupart des grandes marques étaient en général entre les mains de petites agences de publicité qui ont, soit perdu le budget au profit d'une plus grosse agence, soit fini par être rachetées par plus gros qu'elles.

Nous n'avons pas mauvaise opinion de la publicité. Son rôle est important, il consiste à redynamiser les troupes, en d'autres termes à renforcer la perception de la marque dans l'esprit du prospect.

Patience et courage

Fondamentalement, il suffit de deux choses pour bâtir une marque mondiale forte qui domine une catégorie importante : de la patience et du courage.

De la patience, pour laisser l'équipe RP installer la marque en utilisant la puissance des médias et des relais d'opinion au sens large. Parfois, vous avez de la chance parce que votre marque se situe dans une nouvelle catégorie qui a le vent en poupe. C'est l'explosion de l'informatique personnelle qui a fait la marque Microsoft. Pas l'inverse.

Mais la plupart du temps, les choses vont plus lentement. Prenons les alcools par exemple. Il a fallu des décennies au gin pour supplanter le whiskey. Il a fallu des décennies à la vodka pour supplanter le gin. Et il faudra des décennies à la tequila pour supplanter la vodka.

De la patience, aussi, pour ne pas succomber à la tentation de brûler les étapes et de forcer le résultat en faisant de la publicité. TiVo et Replay, par exemple, ont gaspillé des millions de dollars pour essayer de se faire une place dans le club de la télévision intégrée. Cet argent aurait été mieux employé en relations publiques et en développement produit. Les dirigeants des radios par satellite XM et Sirius sont en train de commettre la même erreur.

Du courage, enfin, pour conserver à votre marque sa cible étroite. La plus grosse erreur qu'une entreprise puisse commettre est d'essayer d'élargir le territoire de sa marque alors que c'est à l'approfondir qu'elle devrait œuvrer. Il vaut mieux être fort quelque part que faible partout.

Flexibilité et audace

Personne ne peut prédire le cours d'une campagne de relations publiques. Le marché cible pour votre nouvelle marque peut changer. Le principal attribut de votre nouvelle marque peut changer. La distribution peut changer. La flexibilité est indispensable pour faire face à ces défis, et à bien d'autres.

Volvo pensait que la robustesse serait le principal bénéfice-client de sa marque. Mais les médias ont fait de Volvo la voiture « sécurité ». La marque a sagement fait évoluer son programme marketing dans le sens de la sécurité pour faire passer la robustesse au second plan.

Et soyez prêt à gérer votre coup de chance (et tout le monde a son coup de chance pour accompagner son quart d'heure de gloire).

Ne laissez pas passer votre chance. Plantez le drapeau de votre marque sur l'idée que vous avez installée dans l'esprit des prospects et puis ayez l'audace de lancer une campagne de publicité pour préserver cette position dans le futur immédiat.

Anita Roddick était une machine à RP qui a fait de The Body Shop une marque mondiale. Mais elle n'a pas eu le courage de dépenser des millions de dollars en publicité pour protéger la position de cosmétiques « naturels » que la marque a un temps détenue.

Et aujourd'hui, la marque est mise à mal par les attaques de concurrents comme Organics, Bath & Body Works et Aveda, et au bord d'être vendue. Récemment, Anita et son mari Gordon Roddick ont démissionné de leurs postes de coprésidents et la société a mis fin aux pourparlers de vente à cause du manque d'intérêt des acheteurs potentiels.

Dur dur. La publicité d'hier est mauvaise pour la marque. La publicité d'aujourd'hui est bonne pour la marque. Comment un seul individu peut-il assumer une situation pareille ?

Allons, courage. Si vous êtes directeur du marketing, c'est bien pour ça que vous êtes grassement payé.

Quatrième partie

La publicité et les RP en quelques différences-clés

24

La publicité est le vent, les RP sont le soleil

Dans une fable d'Esope, le vent et le soleil se querellent, chacun prétendant être plus fort que l'autre.

Apercevant un voyageur sur le chemin, ils décident de régler leur différend en essayant de faire enlever son manteau au voyageur. Le vent commence mais plus fort il souffle, plus le voyageur resserre son manteau autour de lui.

Puis c'est au tour du soleil de darder ses rayons. Bientôt, le voyageur ressent la chaleur du soleil et enlève son manteau. Le soleil a gagné.

On ne peut se frayer un passage en force dans l'esprit du prospect. La publicité est perçue comme un abus, un intrus indésirable auquel il faut résister. Plus la vente est agressive, forcée, plus le vent souffle, plus le prospect résiste au message commercial.

Les publicitaires se gargarisent du mot « impact ». Doubles pages, encarts, dépliants et annonces presse en couleur. Frénésie, angles de caméras insensés et plans rapides dans les spots télé. Spots radios tonitruants. Mais ce sont précisément là les attributs qui disent au prospect, ne fais pas attention à moi, je suis une pub.

Plus la publicité essaye de s'imposer dans l'esprit du consommateur, moins elle a de chance d'atteindre son objectif. Une fois de temps en temps, le prospect baissera sa garde et c'est alors le vent qui l'emportera. Rarement.

Les relations publiques sont le soleil. Impossible d'obliger les médias à diffuser votre message. Ce sont eux et eux seuls qui décident. Tout ce que vous pouvez faire, c'est sourire et veiller à ce que votre dossier de presse soit aussi utile que possible.

Le prospect non plus ne se sent pas agressé par un article de presse ou le commentaire d'un journaliste. C'est tout l'inverse. Il pense que les médias essayent de l'aider en attirant sur son attention sur tel ou tel nouveau produit ou service merveilleux.

25

La publicité joue l'espace, les RP jouent le temps

Les campagnes de publicité sont comme les campagnes militaires en ce sens qu'elles sont en général bâties autour d'une date de lancement. (Le Jour J, 6 juin 1944, date du débarquement des forces alliées en France pendant la Deuxième guerre mondiale.)

Les campagnes publicitaires et militaires ont en commun de débuter en général à une date donnée mais dans des « espaces » multiples. Air, mer, plages, tranchées, etc. pour les campagnes militaires. Télévision, radio, presse imprimée, marketing direct, affichage, programme de stimulation de la force de vente, etc. pour les campagnes de pub.

Cette multiplication des points d'impact est au coeur de la pensée publicitaire actuelle.

Mais lorsque le rideau de fumée se dissipe, lorsque l'excitation du lancement est retombée, pas grand-chose n'a changé. L'attitude du prospect est identique à ce qu'elle était avant le lancement. Il est difficile de prendre une plage ou une colline férocement défendues. Il est presque impossible d'obliger un esprit à vous ouvrir sa porte.

Les campagnes de RP sont nécessairement linéaires, elles jouent la carte du temps. Une chose en entraîne une autre. Dans une campagne linéaire, les éléments se dévoilent progressivement, au fil du temps.

L'avantage, naturellement, c'est qu'ils peuvent être conçus pour agir ensemble afin de se renforcer les uns les autres.

Le problème avec la plupart des campagnes de publicité, c'est qu'elles ne mènent nulle part. Pas de révélation progressive des éléments, pas de montée en puissance, pas d'apogée, pas d'intensité dramatique, pas de suspense « Et maintenant, qu'est-ce qu'il va se passer ? »

Raison pour laquelle le début d'une nouvelle année marque souvent le coup d'envoi d'une nouvelle campagne de publicité « matraquage ». Avec un nouvel objectif, une nouvelle stratégie, un nouveau concept.

Cette relève publicitaire annuelle est très exactement l'inverse d'une bonne communication de marque.

26

La publicité joue le Big-Bang, les RP jouent la montée en régime progressive

La chose est acquise pour les publicitaires : le lancement de toute campagne doit s'accompagner d'un « big-bang ». En particulier, lorsqu'il s'agit d'une nouvelle marque.

Quand vous essayez d'installer une nouvelle marque, il vous faut accomplir beaucoup de choses en même temps. Conquérir l'attention du prospect, inscrire la nouvelle marque dans les esprits et associer un ou plusieurs attributs positifs à la nouvelle marque.

C'est une tâche gigantesque que la publicité n'est pas apte à conduire. Les relations publiques sont un choix autrement plus judicieux.

En fait, si vous lancez une nouvelle marque avec une campagne de relations publiques, vous n'avez pas le choix. Vous ne pouvez qu'opter pour une montée en régime progressive puisque vous ne disposez d'aucun moyen de coordonner la couverture médiatique. On commence donc petit, souvent avec une mention de la marque dans quelque obscure publication. Et puis on déploie la campagne vers les médias plus importants. Avec un peu de chance, vous finissez à la télévision, dans *Today*, *Moneyline* ou peut-être même *World News Tonight*.

Quand on étudie l'histoire des plus grandes marques du monde, on est frappé par la lenteur de leur émergence. L'année où la marque a vu le jour, Coca-Cola a vendu pour 50 dollars de sirop. Pendant des dizaines d'années, Coca est demeuré avant tout une marque de sirop vendue au verre dans les pharmacies.

Aujourd'hui, nous considérons la bouteille de Coca comme l'essence de la marque mais il a fallu quarante-deux ans pour que les ventes de Coca en bouteille surpassent les ventes au verre.

Le modèle d'ordinateur personnel qui a connu le plus grand succès au monde (en termes d'unités) est l'Apple II, qui s'est vendu à des millions d'exemplaires. Pourtant, seulement 43 000 Apple II avaient été vendus au cours des deux premières années de sa commercialisation.

27

La publicité joue l'image, les RP jouent les mots.

Le plus grand gourou des publicitaires de Madison Avenue a beau être mort depuis 2 500 ans, son mantra semble gravé à jamais dans les esprits.

Les publicitaires se prosternent devant le temple de Confucius en répétant la phrase célèbre du maître : « Une image vaut mille mots ».

En conséquence de quoi, la publicité est aujourd'hui presque exclusivement visuelle. Les mots sont seulement là pour renforcer l'image. Genre les grenouilles qui croassent « Budweiser ».

Les mots ont peu de crédibilité dans une annonce presse ou un spot télé. La société qui crie « Nous sommes les meilleurs » ne convainc personne. « C'est ce qu'ils disent tous », réagit le consommateur en entendant ces mots.

La publicité s'est enfermée dans une boîte visuelle. Face à des mots, on peut argumenter. Pas face à une image. Personne ne va penser, « Ce n'est pas une grenouille ».

Autre point d'achoppement : le mécanisme de l'acte d'achat. L'esprit pense en mots, pas en images. Les prospects décident des marques qu'ils vont acheter sur la base de comparaisons verbales. C'est la meilleure, la moins chère, la plus grande, la plus légère, la plus sûre, la plus branchée, etc.

Joe Sixpack ne demande pas au barman la « bière de Louie le lézard ». Non, Joe Sixpack demande une Bud et pense, « la reine des bières, la bière la plus vendue d'Amérique, la bière que boivent tous mes potes ».

L'essence des relations publiques est de verbaliser la marque d'une façon qui incite les médias à consacrer des articles au produit ou au service. Les visuels, quand il y en a, sont au service des mots et les renforcent. Ils apportent de la crédibilité au message.

Le communiqué de presse pour le nouveau centre de sécurité de Volvo à Göteborg, en Suède, dans lequel la marque a investi 85 millions de dollars, comprenait la photo d'un crash test. Ce visuel soutient la position « sécurité » de la marque.

Comment la publicité peut-elle devenir plus verbale et par là même plus efficace ? En se concentrant sur les mots et les idées préalablement installés dans l'esprit des prospects par les techniques de relations publiques.

28

La publicité parle à tout le monde, les RP parlent à quelqu'un.

« Il faut toucher tout le monde », veut un axiome de l'industrie de la pub. Portée et fréquence sont les mesures jumelles de la réussite d'une campagne. (Combien de prospects touchons-nous et avec quelle fréquence ?)

Nombre de campagnes de pub sont des réussites mathématiques et des échecs marketing. L'annonceur peut bien toucher jusqu'à la nausée tous ceux et celles qu'il veut toucher sans pour autant faire bouger les ventes d'un iota. On ne crée pas de désir d'achat si le message manque de crédibilité.

Avec les relations publiques, vous renoncez au luxe de toucher tout le monde pour toucher quelqu'un qui compte. Quelqu'un qui prêchera la bonne parole auprès de ses amis, de sa famille, de ses voisins. (L'achat d'une marque, pour la plupart, est d'abord motivé par des recommandations personnelles, pas parce que la publicité ou même la presse en parle.)

Les RP ne mettent pas l'accent sur la portée et encore moins sur la fréquence. Ce qui compte en RP, c'est la crédibilité du support et la qualité du message. Les deux sont nécessaires. (Une mention favorable dans le *Wall Street Journal* vaut beaucoup plus qu'un entrefilet élogieux dans une publication de second ordre.)

Récemment, la Mini-Cooper a terminé sa 41e année de production lorsque la voiture n° 5387862 est sortie des chaînes, une performance remarquable pour un modèle unique.

Pourtant, la Mini Cooper s'était mal vendue jusqu'à ce que Peter Sellers en achète une et la personnalise avec des finitions extérieures façon osier. Tout d'un coup, la Mini est devenue la voiture à la mode. Steve McQueen, le mannequin Twiggy, la Princesse Grace, la Princesse Diana et bien d'autres célébrités ont eu des Minis.

Inutile de vendre à tout le monde, il suffit de vendre aux bonnes personnes. C'est la stratégie sur laquelle se fondent les bonnes campagnes de RP.

29

La publicité monologue, les RP dialoguent.

Une société qui lance une campagne de pub a décidé de ce qu'elle veut être, ce qu'elle veut vendre et à qui elle veut vendre.

Une société qui lance une campagne de RP remet littéralement son avenir entre les mains des autres. C'est le média qui vous dira qui vous êtes, ce que vous devriez vendre et quelle approche commerciale vous devriez utiliser. Directives que vous êtes libre d'ignorer… à vos risques et périls.

Les journalistes ont installé Volvo dans le siège « sécurité ». Pendant de nombreuses années, Volvo avait défendu une image de robustesse. « Conduisez-la comme vous la détestez » était une des accroches de la marque. Le texte affirmait qu'une Volvo durait environ 30 ans sur les routes cabossées de Suède. Cette promesse de robustesse était soutenue par le fait que neuf Volvo sur dix vendues aux États-Unis étaient toujours en circulation.

Mais l'invention par Volvo de la ceinture de sécurité trois points fit couler tellement d'encre que la marque sa rangea progressivement derrière la bannière « sécurité ». Une excellente initiative. Grâce à la sécurité, Volvo vend plus de 100 000 voitures par an sur le seul marché américain.

Laisser les médias vous dicter votre stratégie marketing peut sembler totalement stupide. Mais en fin de compte, est-ce que les entreprises ont vraiment le choix ? On ne lutte pas contre la presse. Elle gagne toujours.

Dans vos rapports avec les journalistes, vous devez faire preuve de souplesse. « Si vous n'y arrivez pas du premier coup, essayez et essayez encore » n'est pas un bon mot d'ordre pour une campagne de RP. Tour ce que risque de vous rapporter votre entêtement, c'est l'animosité des journalistes. (Al a une fois été traité de « coco taré » par l'éditorialiste publicitaire du *New York Times* parce qu'il avait eu le culot de remettre un point en question. Ce n'était déjà pas folichon mais il a en plus été banni de la rubrique pendant deux ans. Croyez-nous, vous avez bien plus de chance d'avoir raison avec votre conjoint qu'avec les journalistes.)

« Si vous n'y arrivez pas du premier coup, essayez autre chose », voilà le bon mot d'ordre d'une stratégie de RP.

30

La publicité dure un temps, les RP durent toujours.

Rien n'est plus inutile que la pub d'hier. Elle peut certes finir ses jours sur les murs d'une agence de pub ou dans un beau livre. Mais pour ce qui est du consommateur moyen, une pub est un papillon. Elle vit un bref moment puis elle meurt.

Ce qui n'est pas le cas de l'image ou de la notoriété créées par les médias. Une bonne histoire est immortelle. Une stratégie de RP consiste fondamentalement à utiliser un article dans une publication, pour ensuite lui faire gravir les échelons de la presse et le déployer dans un autre magazine. Ou d'un support (imprimé) à un autre (radio ou télé).

Vous pouvez aussi faire descendre les échelons des médias à votre article. Le *Wall Street Journal* en offre un bon exemple. Un article paru dans le *WSJ* sera souvent repris sous une forme ou sous une autre dans une douzaine de titres moins importants.

L'informatique et Internet ont accéléré ce phénomène. Avant d'écrire un article sur un nouveau produit ou une entreprise, les journalistes vérifient souvent quelles publications en ont déjà parlé. Une parution dans une publication pourra être reprise dans beaucoup d'autres dans les années qui suivent. (Hâtons-nous de préciser que personne ne vérifie jamais les anciennes pubs.)

En RP aujourd'hui, le premier article compte énormément et c'est donc un jalon particulièrement important. La nature humaine étant ce qu'elle est, il est probable que tous les articles qui suivront seront lourdement influencés par cette première parution.

Les médias fonctionnent comme l'esprit humain. Une fois qu'une formule s'est imposée dans les médias, il devient beaucoup plus difficile de la modifier. Le « milliardaire Ron Perlman » est l'expression que les journalistes utilisent pour désigner l'homme d'affaires qui contrôle Revlon. La marque cosmétique battant de l'aile et les autres investissements du monsieur étant aussi en perte de vitesse, cela fait des années que M. Perlman n'est plus milliardaire.

Pourtant, pour les médias, il est toujours « Ron le milliardaire ».

31

La publicité coûte cher. Pas les RP.

La plupart des entreprises dépensent beaucoup plus d'argent en publicité qu'en RP. Et dans des proportions parfois astronomiques.

Ce qui ne fait pas nécessairement des RP un investissement attractif. Des gens qui ne mettraient pas 100 dollars dans une Timex sont prêts à payer une Rolex 5 000 dollars. La valeur et le prix sont étroitement liés dans les esprits. Plus le prix est élevé, plus la valeur est grande.

Nous avons récemment déjeuné avec le directeur de marque d'une société en pleine expansion qui mourait d'envie de travailler avec nous… mais qui n'avait pas les moyens de s'offrir nos services. Il nous a demandé de baisser nos honoraires. Chose que nous avons naturellement refusée.

Une semaine plus tard, nous lisions dans l'*Atlanta Journal-Constitution* que cette même entreprise avait engagé une agence de pub pour lancer une campagne de 50 millions de dollars. Aux yeux de l'annonceur, la publicité valait apparemment ses 50 millions de dollars mais les prestations de conseil ne valaient pas les 50 000 dollars que nous leur aurions facturés.

Comme par hasard, nous leur aurions conseillé d'annuler la campagne de pub et de commencer par se faire une place dans les médias.

D'une manière générale, les annonceurs dépensent trop en pub et pas assez en RP. Ils auraient en particulier intérêt à consacrer davantage de leur temps et de leur budget RP au développement d'une stratégie et à la verbalisation de celle-ci.

Les campagnes de RP devraient également être déployées sur des périodes de temps plus longues. On ne lance pas une campagne de RP. On la dévoile progressivement à travers des jalons successifs pendant un temps relativement long.

32

La publicité aime les extensions de gamme. Les RP aiment les nouvelles marques.

Le plus grand enjeu du marketing aujourd'hui n'est ni la publicité ni les RP. C'est « l'extension de gamme ». Inscrire le nom de la société ou de la marque sur un nouveau produit dans une catégorie différente.

Les livres Amazon. Les produits électroniques Amazon.

Les appareils de photo traditionnels Kodak. Les appareils de photo numériques Kodak.

Les services de télécommunication longue distance d'AT & T. Le service de câble d'AT & T.

Envisageons le nouveau produit du point de vue de l'entreprise. Kodak anticipe un éventuel déclin de la photo traditionnelle et décide de prendre pied sur le marché du numérique. Question : quel nom de marque utilise-t-on ?

La gente publicitaire est prompte à répondre, « Nous avons dépensé 116 millions de dollars sur la marque Kodak l'année dernière. Cela coûterait encore au moins 100 millions de lancer une nouvelle marque. Autant économiser cet argent et garder la marque Kodak. »

Dans notre métier de consultants, nous avons rencontré des douzaines de Kodak. Leur façon de voir les choses est toujours la même. Cela coûte trop cher de lancer une nouvelle marque. (Comprendre : la publicité pour lancer une nouvelle marque coûte trop cher.)

Les agences de publicité encouragent en général la démarche d'extension de gamme parce qu'elle implique qu'elles conservent le budget. Qui dit nouvelle marque dit souvent nouvelle agence. Honda a engagé une nouvelle agence pour lancer la marque Acura. Idem pour Toyota avec la marque Lexus et Nissan avec l'Infiniti.

Nouvelle marque ou extensions de gamme ? La réponse à cette question n'a rien à voir avec le coût d'une éventuelle campagne de publicité. Puisqu'une nouvelle marque ne doit, de toute façon, pas être lancée par la publicité.

Plus que tout (produit, caractéristiques, bénéfices-consommateur), une nouvelle marque a besoin de crédibilité et de références. C'est un travail que seules les relations publiques peuvent accomplir.

33

La publicité aime les vieux noms. Les RP aiment les noms nouveaux.

Si un nouveau nom de marque est à inscrire au passif d'une campagne de pub, c'est un actif dans une campagne de RP. Un nouveau nom de marque dit aux médias que le produit ou le service est nouveau et différent. Exactement ce dont les journalistes ont envie de parler.

Lorsque Apple Computer a lancé le Macintosh, la société aurait très bien pu appeler son nouveau produit l'Apple IV. Mais le nom Apple aurait rendu invisible le caractère révolutionnaire du nouveau produit Macintosh.

Un nouveau nom apporte de l'eau au moulin de la campagne de RP. Il implique que le produit ou le service est tellement différent qu'il exige un nom de marque totalement nouveau. Un nom d'extension de gamme est surtout quelque chose de déjà connu.

Lorsque Sony est entré sur le marché du jeu vidéo, ce n'est pas la marque Sony VGP (Video Game Products) qui a été retenue. Non, Sony a lancé la PlayStation qui a suscité une attention médiatique colossale et s'est bientôt imposée comme la première marque de jeux vidéo.

Contrairement à ce que l'on croit, le succès d'une seconde marque dépend souvent de la capacité de la société à séparer la deuxième marque de la première. Les menuisiers et les plombiers n'achètent pas des outils DeWalt parce qu'ils sont fabriqués par Black & Decker. Les menuisiers et les plombiers achètent des outils DeWalt en dépit du fait qu'ils sont fabriqués par Black & Decker.

Un nouveau nom de marque est l'étincelle qui donne vie à une campagne de RP.

34

La pub, c'est de la blague. Les RP, c'est du sérieux.

La publicité a un problème. C'est une technique de communication qui manque de crédibilité et est presque universellement ignorée par ceux qu'elle est supposée toucher. Comment parvient-on à obtenir l'attention du prospect avec un message publicitaire ?

En lui racontant une blague. Être drôle. Divertissant. Fort de cette logique, Electronic Data Systems s'efforce de vendre des contrats informatiques de plusieurs millions de dollars en regroupant des chats sur le Super Bowl, et en diffusant, dans la foulée, un spot télé sur la course des écureuils à Pampelune.

La publicité a un problème grave. L'approche humoristique, soi-disant maligne, ne fait pas recette. Pendant que les publicitaires se donnent de grandes claques dans le dos et répètent à l'envie l'accroche de la dernière pub dans le vent, les consommateurs ignorent les messages. Soyez franc : à quand remonte la dernière fois où un ami vous a dit, « Je vais acheter un produit dont j'ai vu la pub à la télévision hier soir à 20 heures » ?

Bizarrement, les consommateurs achètent, de fait, les produits qui font de la pub à la télé mais sous la forme des très sérieux *infomercials*. Remarquons en outre que le marketing direct, dont les deux pieds sont fermement ancrés dans l'efficacité et les résultats, joue rarement la carte de l'humour.

Créer et établir la notoriété d'une marque est une tâche sérieuse qui requiert une approche soigneusement réfléchie. Comment définissons-nous la catégorie de façon à pouvoir en être les pionniers ? Quel nom de marque choisissons-nous qui évoque la catégorie tout en étant un nom singulier ? Quelle stratégie développons-nous vis-à-vis des médias pour qu'ils consacrent des articles à une nouvelle marque qui vient d'être lancée sur le marché ? Qui est le porte-parole de la marque ? Quel angle d'attaque allumerait cette étincelle qui lancerait la marque ?

Toutes ces questions, et beaucoup d'autres, sont sérieuses. Ce n'est pas en rassemblant des chats ou en faisant courir des écureuils qu'on y répond.

Bien que sûr que les RP peuvent être légères, drôles, qu'elles savent jouer la carte de l'autodérision. Mais les RP ne sont jamais « marrantes ». Laissez donc les bonnes blagues aux publicitaires qui en ont besoin pour remporter leur prochain prix.

35

La publicité n'est pas créative. Les RP sont créatives.

Vous vous dites peut-être que nous avons inversé les termes de ce titre. Après tout, l'industrie de la publicité ne s'enorgueillit-elle pas d'être créative ?

Mais qu'est-ce que la créativité ? Dans son sens le plus pur, créatif signifie « original ». Mais la publicité ne devrait pas être originale. Son rôle et sa fonction ne consistent pas à insérer de nouvelles idées dans l'esprit mais à travailler avec des idées existantes qui ont été implantées dans les esprits grâce aux techniques de relations publiques. Et en particulier, de renforcer ces idées. (C'est l'essence du concept de positionnement que nous avons inventé il y a trente ans.)

Sans originalité ne signifie pas maladroit, sans raffinement ou non professionnel. Pas plus que sans intelligence. Ce que la publicité doit faire, c'est serrer la bride à sa créativité et retrouver son rôle de galvaniseur de foules.

Contrairement à ce que l'on croit, la créativité n'est pas toujours un attribut positif. La comptabilité créative, par exemple, est très exactement ce qui a causé pas mal d'ennuis à des sociétés comme Enron.

La créativité n'appartient pas au service publicitaire ; la créativité est du ressort du service de presse. Les relations publiques ont besoin d'être originales en ce sens qu'elles ont besoin de positionner le produit ou le service comme nouveau et différent. « Tout ce qui vaut d'être imprimé » proclame ainsi le *New York Times*.

Le *Times*, à l'instar des autres médias, n'a pas envie de parler de produits ou de services meilleurs. Ce qui intéresse les journalistes, c'est « ce qui est nouveau ». C'est-à-dire, original, différent, créatif.

La tâche des RP consiste à s'emparer de l'amélioration la plus récente du produit et à la transformer, grâce à une généreuse dose de créativité, en quelque chose de réellement nouveau et différent.

36

La publicité est incroyable. Les RP sont crédibles.

Le clou du spectacle de magie de Siegfried & Roy au Mirage, à Las Vegas, est la transformation d'un tigre en danseuse de revue. Incroyable, pense le public, absolument incroyable.

La publicité crée la même impression. Quand l'ours polaire boit sa bouteille de Coca, le téléspectateur se dit, quelle pub mignonne, futée et incroyable.

La publicité, comme le spectacle de Siegfried et Roy, est « incroyable » au sens premier du terme : « Qui n'est pas ou qui est peu croyable par son manque de vraisemblance. » Même sous son camouflage de créativité, la publicité demeure fondamentalement un message peu crédible.

Les relations publiques aussi sont confrontées à un problème de crédibilité. Les gens croient-ils tout ce qu'ils lisent, entendent ou voient dans les médias ? Non, bien entendu. Mais il y a une différence importante. Ils rejettent seulement l'information qui entre en conflit ou en contradiction avec les idées qu'ils ont déjà. Les Démocrates, par exemple, rejetteront l'information qui vient étayer un point de vue Républicain. Et vice-versa.

Mais dans quelle configuration se trouve-t-on lorsqu'on lance une nouvelle marque, et en particulier une nouvelle marque dans une nouvelle catégorie ? Il ne peut y avoir de conflit dans l'esprit du prospect pour la simple et bonne raison qu'il n'existe pas d'autre marque. C'est une catégorie nouvelle.

C'est la raison pour laquelle les RP constituent un outil extrêmement puissant au service de la création d'une marque. Les idées peuvent circuler des médias vers l'esprit du prospect avec peu de risques de rejet. (Si vous ne savez rien d'un nouveau produit ou d'une nouvelle catégorie, pourquoi refuseriez-vous l'information qui vous est offerte à son sujet ? Si vous ne savez rien de l'Afghanistan, il est probable que vous croirez tout ce que vous lirez sur ce pays.)

Si vous ne savez rien d'un nouveau produit ou d'une nouvelle catégorie, vous croirez tout ce que vous lirez sur le sujet, en particulier si l'information provient d'une source crédible, et non d'une source « incroyable ».

D'où la puissance des RP pour établir l'image et la notoriété d'une marque.

37

La publicité pour entretenir la marque. Les RP pour créer la marque.

Et pour finir, le plus important. Le cœur du sujet. Un brillant avenir s'offre à la publicité sous réserve qu'elle accepte son véritable rôle dans le cycle de vie de la marque. Après avoir été créée par les techniques de relations publiques, la marque a besoin de publicité pour conserver sa position.

Les consommateurs oublient. Il faut leur rappeler en permanence comment la marque s'inscrit dans le paysage. La reine des bières. Le numéro 1 du pneu. L'authentique. Quand on est tellement facile à utiliser, c'est normal d'être numéro 1. Le ketchup préféré de l'Amérique. Le numéro 1 des pâtes en Italie.

Les relations publiques, pour leur part, ont besoin de monter plus haut sur l'échelle de la création de marque. Besoin de revendiquer et d'exercer pleinement le rôle et la fonction qui doivent être les leurs dans le processus marketing. La création de marque.

Les marques vivent et meurent. Une marque n'est pas éternelle. À un moment ou un autre de son histoire, toute entreprise sera confrontée au problème. Comment bâtir une nouvelle marque pour remplacer une marque ancienne qui arrive au terme de son cycle de vie.

Palm, BlackBerry, Starbucks, Red Bull, PlayStation, Nokia, Zara, Viagra, Amazon, eBay. Ces nouvelles marques et beaucoup d'autres ont été créées, non par la publicité, mais par les médias et le bouche à oreille.

Ce n'est pas une question d'âge. Certaines marques existent depuis des dizaines d'années mais n'ont jamais trouvé leur place dans l'esprit du prospect. En termes de marketing, ce sont de nouvelles marques à part entière qui ont besoin d'une généreuse dose de RP avant d'aller chercher le soutien de la publicité.

Les RP d'abord, la publicité ensuite. Telle est la clé du succès sur la scène marketing aujourd'hui.

Cinquième partie

Post-scriptum

Mesdames et Messieurs du management…

Le cours normal des choses voudrait qu'une discipline telle que la publicité évolue avec le temps pour conserver sa fonctionnalité. Cette faculté d'adaptation aurait dû empêcher la publicité de s'envoler vers le monde éthéré de l'art.

Ce n'est pas le cas. Pourquoi la publicité n'a-t-elle pas su s'adapter aux évolutions du monde ? Deux facteurs l'expliquent à notre sens.

Le facteur du mâle dominant. L'idée que la publicité est le mâle dominant du foyer marketing. Pour beaucoup de managers et de dirigeants, publicité et marketing sont synonymes. Les médias parlent couramment de « communauté de la publicité et du marketing ». La revue *Advertising Age* se définit elle-même comme « le Journal du Marketing de Crain's International ».

Une agence de relations publiques est simplement une agence de relations publiques mais une agence de marketing est toujours une agence de publicité… le nom ronflant en plus.

Quand vous êtes le mâle dominant de la tribu marketing depuis plus d'un siècle, vous ne pouvez que résister à toute tentative de reléguer votre spécialité au second plan.

La communauté publicitaire ne renoncera pas sans se battre à son rôle premier dans la création de marque. Aussi sûr que deux et deux font quatre.

Le facteur créativité. L'idée que la meilleure publicité est la publicité la plus créative.

Après avoir battu pendant des années le tambour de la créativité, la communauté publicitaire du pays s'est convaincue elle-même et a convaincu ses clients que si la publicité n'est pas créative, elle ne fonctionne pas. (Les concepteurs-rédacteurs et les directeurs artistiques ne font pas partie du service conception/arts graphiques, ils travaillent dans le service de création.)

La créativité n'est pas seulement le fer de lance de directeurs artistiques et de concepteurs-rédacteurs en mal de récompenses ; les annonceurs aussi l'adorent. (Impossible de reprocher quoi que ce soit à la campagne de pub de l'entreprise lorsque deux Lions d'Or trônent sur le bureau du directeur de la communication.)

Si la publicité veut connaître une deuxième vie comme discipline marketing efficace, ces deux credos doivent être jetés à bas. Examinons-les d'un peu plus près.

Tout le monde sait que la publicité a un problème d'ego ; ce que l'on reproche le plus souvent aux publicitaires est leur « arrogance ». Ils tiennent pour acquis que c'est à la publicité de « donner le ton » d'une campagne de marketing. Avant de lancer une campagne de marketing, les dirigeants de l'entreprise se tournent vers leur agence pour concevoir la stratégie et le concept de positionnement qui sera décliné dans la campagne. À savoir, en jargon publicitaire, trouver « l'idée géniale ».

Et bien, l'idée géniale de ce livre n'est ni plus ni moins que d'inverser les rôles. L'idée que les RP doivent venir en premier et la publicité en second. L'idée que les RP sont le mâle dominant du ménage marketing et que c'est à elles de définir la stratégie. Et que la publicité doit obéir à cette stratégie qui aura été solidement installée dans l'esprit du prospect par les médias.

Comment ? C'est aux gens des relations publiques de définir la stratégie marketing que suivront les gens de la pub ? Vous pensez peut-être qu'une telle chose n'arrivera jamais.

Vous avez peut-être raison, seul l'avenir nous le dira. Mais il se peut aussi que vous vous trompiez. Car c'est dans l'esprit du prospect que se fait la création de la marque. Et seuls les médias possèdent la crédibilité nécessaire pour instiller une idée nouvelle dans les esprits. Seuls les médias peuvent vous aider à construire une marque à partir de rien.

Toutes les marques naissent petites. L'essence même de la création de marque est de fournir les matériaux qui permettront aux médias de la bâtir, pierre après pierre. Et c'est l'essence même du métier des RP aujourd'hui.

Vient pourtant un temps où la marque perd son potentiel médiatique. Au moment de son lancement, la marque pouvait être qualifiée de nouvelle, excitante, différente. (Red Bull, par exemple.)

Les marques, comme les êtres humains, grandissent. Elles vieillissent, deviennent rasoir, toutes les mêmes. Elles ont besoin de la publicité pour rester vivantes dans l'esprit du prospect.

Mais quel genre de publicité ? C'est ici que notre facteur numéro 2, la créativité, entre dans la danse. Les marques n'ont pas besoin de publicité « créative » (la marque a déjà été créée dans l'esprit du prospect par les RP), elles ont besoin de publicité « d'entretien », de rappel.

La publicité d'entretien, ou de remise en mémoire, n'a pas besoin d'être fade et ennuyeuse. Elle y perdrait toute efficacité.

La publicité d'entretien peut, et devrait sans doute, être intelligente, intéressante, provocante, divertissante, excitante, palpitante, bien écrite, bien interprétée et bien produite. En bref, tout ce que vous avez envie de trouver dans un message publicitaire sauf la *créativité*.

Mesdames et Messieurs de la publicité...

Si les relations publiques sont supérieures à la publicité pour la création de marque, pourquoi a-t-on si peu écrit sur le sujet ? C'est une question qui mérite d'être posée.

« Les RP remplacent la publicité comme outil de création des marques » est un titre que nous n'avons lu dans aucune publication qui compte. Pour différentes raisons, le déclin de la publicité et l'essor des RP n'ont guère retenu l'attention des médias.

Avant toute chose, il y a le poids et la réputation dont jouit la bonne société publicitaire. La publicité, dans sa définition la plus étroite, compte pour 2,5 % du produit intérieur brut des États-Unis. Qui plus est, la publicité étend ses tentacules jusque dans les journaux, les magazines, la radio, la télévision, Internet, l'affichage et le marketing direct. La publicité est aussi américaine que le baseball, les hot-dogs, l'applepie et Chevrolet.

Il y a aussi les diverses organisations qui renforcent l'épine dorsale du gratin de la pub. L'*American Advertising Federation*, avec ses 210 clubs et ses 50 000 membres. L'*American Association of Advertising Agencies* qui compte 494 agences et 1 279 bureaux membres, représentant les agences les plus prestigieuses du pays. L'*Association of National Advertisers* qui représente 300 entreprises et 8 000 marques dépensant chaque année plus de 100 milliards de dollars en publicité.

Dans le domaine des relations publiques, la plus grande organisation professionnelle américaine est la *Public Relations Society of America* avec 100 cellules et 20 000 membres. Il n'existe pas d'association nationale des attachés de presse, apparemment parce que les relations publiques ne sont pas considérées comme suffisamment importantes. Certaines des plus grandes agences de RP sont membres du *Council of Public Relations Firms*, mais l'organisation en elle-même n'a pas le poids de l'AAAA.

Deuxièmement, les gens ont tendance à juger de la valeur d'une discipline par ses chiffres. Et la publicité représente une part beaucoup plus conséquente du budget d'une entreprise que les RP. Prenons l'exemple de Dell Computer. L'année dernière, Dell a dépensé 430 millions de dollars en publicité et 2 millions de dollars en RP. En d'autres termes, Dell a dépensé 215 fois plus en pub qu'en RP. Michael Dell va avoir du mal à croire que les relations publiques sont plus importantes que la publicité.

Pourtant, Dell constitue un excellent exemple de marque construite par les RP et non par la publicité. Dès ses débuts, Dell a veillé à ce que tous les journalistes techniques de la presse spécialisée reçoivent des ordinateurs Dell à tester. L'évaluation dithyrambique faite par *PC Week* du Turbo, la première machine Dell compatible IBM, est parue peu de temps après le lancement du produit en 1985. Instantanément ou presque, les ventes de Turbo ont bondi à plus de mille unités par mois. On connaît la suite.

Troisièmement, la publicité bénéficie d'une importante couverture presse. Le *New York Times*, le *Wall Street Journal* et le *Chicago Tribune* ont leurs chroniques publicitaires quotidiennes. *USA Today*, sa rubrique hebdomadaire. Aucun des grands quotidiens nationaux n'a de chronique ou de rubrique RP régulière.

Quatrièmement, la publicité et la gente publicitaire dominent la scène nationale. Lorsque le Secrétaire d'Etat Colin Powell a eu besoin de quelqu'un pour s'occuper de la « guerre des relations publiques » au Moyen-Orient, qui a-t-il choisi ? Charlotte Beers, une femme de pub, qui avait été à la tête des agences J. Walter Thompson et Ogilvy & Mather. Titre dans le magazine *PR Week* : « La Dame de Fer de la pub s'installe aux commandes de la guerre des RP ».

Quel message véhiculez-vous lorsque vous engagez une publicitaire pour faire la guerre des RP ? (Indice : Les RP sont subordonnées à la publicité.)

Cinquièmement, la publicité domine la scène de l'éducation. Un sondage récent du *Council of Public Relations Firms* auprès de 74 doyens d'écoles de commerce montre que plus de la moitié des programmes de MBA proposent des cours de publicité mais que douze seulement proposent des cours de RP – le chiffre le plus faible de toutes les disciplines marketing, y compris la promotion des ventes et le marketing direct.

Sixièmement, ce qui nuit réellement au statut des RP est le fait que la plupart des grandes agences de relations publiques appartiennent à des conglomérats publicitaires. Neuf des dix plus grandes agences de RP des États-Unis sont entre les mains de seulement trois conglomérats publicitaires : Interpublic, Omnicom et WPP.

La seule agence de RP indépendante parmi les dix premières est Edelman Public Relations Worldwide, numéro 5 de la liste. Et Edleman est deux fois plus grosse que la deuxième agence indépendante, Ruder Finn.

Les deux tiers de l'ensemble des dépenses de relations publiques sont gérés par des agences de RP contrôlées par des agences de pub. On comprend mieux pourquoi si peu de voix se font entendre pour remettre en cause le rôle de la publicité dans les stratégies de marque. Combien de dirigeants d'agences de RP sont prêts à prendre le risque d'agacer leurs patrons pubeurs en proclamant le déclin de la pub et l'avènement des RP ?

Selon Jack O'Dweyer, éditeur et rédacteur en chef de *Jack O'Dweyer's Newletter*, « Tant que les agences de RP seront sous la coupe des agences de pub, les RP resteront des citoyens de seconde zone. »

Quand vous êtes la propriété de votre ennemi, vous apprenez à faire profil bas. Richard Edelman, PDG d'Edelman PR, est la seule voix indépendante et forte des RP dans un océan de dirigeants à la botte de la pub.

Les chiffres parlent d'eux-mêmes. L'année dernière, la publicité a généré un chiffre d'affaires de 243,7 milliards de dollars, contre 4,2 milliards de dollars pour les RP, un rapport de 58 à un. (La publicité propose ; les RP disposent.) Et les deux tiers de ces 4,2 milliards de dollars ont été dépensés auprès d'agences de RP qui font partie de grands groupes publicitaires.

Ce livre est notre contribution pour essayer « de disposer de la pub ».

Mesdames et Messieurs des relations publiques…

Notre métier est de conseiller les dirigeants. La plupart des idées et des concepts présentés dans ce livre ont été développés à la suite des sessions de conseil que nous avons conduites auprès des dirigeants de grandes sociétés américaines et étrangères.

Quelque chose nous a frappés au cours de ces réunions, quelque chose de dérangeant.

Participaient à ces réunions presque exclusivement des gens de la publicité. Et lorsque des représentants des RP étaient présents, ils restaient le plus souvent silencieux dès lors que la discussion portait sur la stratégie marketing.

Une question se pose à nous. Le passage d'un marketing publicitaire à un marketing davantage orienté RP est-il favorablement accueilli par les professionnels des relations publiques ? Rien n'est moins sûr. Trop d'attachés de presse et autres spécialistes des RP se positionnent en tant que médiateurs, c'est-à-dire la voix du consommateur au sein de l'entreprise, et non comme la voix de l'entreprise elle-même.

Trop de professionnels des RP préfèrent conseiller leur PDG plutôt que travailler dans les tranchées avec les équipes marketing. Trop de professionnels des RP se plaignent de ce que leur métier a vendu son âme au marketing.

Vendre son âme ? Comment peut-on vendre son âme à la fonction la plus importante de l'entreprise, le marketing ? Toutes les autres fonctions existent pour servir la fonction marketing.

Le marketing n'existe pas pour servir la fabrication, par exemple. C'est l'inverse. La fabrication existe pour servir le marketing. En matière de création de marque, il est toujours possible de « se procurer à l'extérieur » des choses comme la fabrication et la distribution.

(On peut dire des ateliers clandestins malaisiens qu'ils sous-traitent leur fonction marketing à Nike et Reebok. Mais où se situe le véritable pouvoir ? À Kuala Lumpur ou à Beaverton dans l'Orégon ? Dans la fabrication ou dans le marketing ?)

Si les activités marketing d'une entreprise ne fonctionnent pas, l'entreprise est dans la mouise, aussi bien conseillée soit-elle au niveau des RP. Qu'est-ce que vous préférez ? Etre un fils de p... qui réussit ou un roi sans couronne ? Les dirigeants que je connais préfèrent toujours la première option.

Prenons Microsoft. Certains professionnels des RP considèrent la société comme un désastre en termes de RP. Et quel désastre. Microsoft est l'une des sociétés les plus valorisées au monde, pesant quelque 364 milliards de dollars sur le marché boursier. Quelle que soit l'issue de ses démêlées avec la justice, Microsoft demeurera une réussite phénoménale, ou peut-être plusieurs réussites phénoménales, sur le marché. (Une société, soulignons-le au passage, qui a bâti son succès dans les médias, pas sur les panneaux d'affichage.)

Dirigeants et managers commencent seulement à prendre conscience de la puissance des relations publiques pour créer et bâtir des marques. Ils doivent aller plus loin. Passer d'un mode de pensée orienté publicité à un mode de pensée orienté RP.

En particulier, s'offre aujourd'hui aux professionnels des relations publiques une occasion unique de s'emparer des rênes marketing de leurs clients, de devenir la principale source extérieure de conseil marketing, de devenir la force motrice de l'épopée des marques. Ce n'est pas le moment de jouer les timides. Ce n'est vraiment pas le moment de jouer les vierges effarouchées.

Les relations publiques font des progrès. Grâce au lancement en 1998 de *PR Week*, la première publication réellement professionnelle consacrée aux relations publiques, le secteur dispose désormais de son propre organe comparable par sa diffusion, sa mise en page et sa qualité rédactionnelle à *Advertising Age*, bible de l'industrie publicitaire depuis soixante-neuf ans. Comme le souligne son rédacteur en chef Jonah Bloom, « Le développement rapide de *PR Week* aux États-Unis et sa présence de plus en plus internationale avec cinq bureaux sur quatre continents, témoignent de la croissance des RP à la fois comme outil stratégique pour les entreprises et comme composante vitale de toute campagne marketing. »

Ce ne sera pas facile. La petite taille et la nature fragmentée du secteur des relations publiques constituent des handicaps sérieux. Qui plus est, le secteur est dangereusement divisé sur le rôle et la fonction mêmes des relations publiques. Ce qui, soit dit en passant, n'est pas nouveau. En 1975, une soixantaine de leaders du secteur se sont assis autour d'une table pour rédiger une définition consensuelle des relations publiques :

« Les relations publiques sont une fonction de management distincte qui aide à créer et entretenir des lignes de communication, de compréhension, de reconnaissance et de coopération mutuelles entre une entreprise et ses différents publics ; qui contribue à la gestion de crises ou d'enjeux majeurs ; qui aide le management à rester informé de l'opinion publique et à y réagir ; qui définit et défend la responsabilité du management à servir l'intérêt public ; qui aide le management à rester en phase avec le changement et à l'utiliser de manière efficace, en jouant le rôle de système d'alarme pour l'aider à anticiper les tendances ; et qui utilise la recherche et des techniques de communication saines et éthiques comme ses principaux outils. »

Cent onze mots et pas une seule fois il n'est fait mention de ce que nous considérons comme le rôle le plus important des relations publiques : bâtir une marque.

En 2001, la *Public Relations Society of America* a choisi « Le pouvoir des RP » comme thème pour son congrès annuel. Voici, selon la PRSA, ce qui fait la force des RP :

« Le Pouvoir des RP envisage les relations publiques en tant que processus favorisant l'échange de valeur dans notre monde : d'individu à individu, d'entreprise à individus et de société à société. Le pouvoir positif des relations publiques promeut la compréhension, agit en vue de parvenir à un accord et recherche les gains mutuels. Les professionnels des relations publiques ont le pouvoir de faire progresser les relations sociales ; d'aider les clients à atteindre leurs objectifs et d'intermédier, gérer et atténuer les conflits. »

Ici non plus, pas un mot sur la création de marque.

Rappelons à toutes fins utiles le thème de la campagne de publicité de l'American Advertising Federation : « La pub. Ce qui fait les grandes marques ». Et l'AAF plaisante d'autant moins qu'elle a déposé le slogan.

Tout est marque. Coca-Cola est une marque. Les États-Unis d'Amérique sont une marque. Les Relations Publiques sont une marque. Et comment construit-on une marque ? En essayant de conquérir sa part de l'esprit du consommateur en y imprimant un mot. Coca-Cola est l'authentique. Les États-Unis sont le plus grand pays libre du monde. (D'où le thème : liberté immuable.) Mais que sont les RP ?

Selon une star de la profession, « Les relations publiques sont l'art de mériter et de capitaliser sur la confiance des partenaires clés d'une entreprise. »

Allez, les copains, vous n'êtes pas en compétition pour le rôle de gourou maison. Vous avez un boulot à faire, le plus important peut-être pour toute entreprise. Construire la marque.

À long terme, il vous faudra également construire la marque RP. Faire ce que l'AAF essaye de faire. Imprimer durablement un mot dans les esprits. Malheureusement, c'est le même que celui de vos potes de la pub. Construction de marque.

Prochaine étape ? Avant de pouvoir positionner la fonction RP, vous devez d'abord repositionner la fonction publicitaire. (Voir notre troisième partie, « Un nouveau rôle pour la publicité ».)

Et les nombreuses autres fonctions des relations publiques au sein de l'entreprise : réputation de l'entreprise, gestion de crise, relations avec les investisseurs, etc. ? Si vous ne pouvez pas bâtir une grande marque, alors toutes ces autres fonctions, aussi talentueusement gérées soient-elles, n'aideront pas l'entreprise à réussir.

En entreprise, nous sommes tous des hommes et des femmes orchestre. Quiconque travaille pour une entreprise doit être un homme ou une femme à tout faire. Planification, budgétisation, rédaction de rapports et des douzaines d'autres tâches nous attendent. Mais aucune de ces tâches ne doit détourner notre attention de la mission centrale de notre spécialité.

Dans le cas des RP, cette mission est la création de marque.

Index

Achevé d'imprimer le 14 avril 2003
sur les presses de l'imprimerie «La Source d'Or»
63200 Marsat - Imprimé en FRANCE
Dépôt légal : 2e trimestre 2003
Imprimeur n° 9509